Chère lectrice,

Si le mois de sept[illegible]st aussi le moment propice pour les nouveaux départs et les bonnes résolutions ! C'est ce que pensent aussi nos héroïnes, qui vont décider de faire table rase du passé et de se lancer avec passion dans de nouvelles aventures. Ainsi, dans *Un amant italien* (Janette Kenny, Azur n° 3392), la fougueuse Delanie doit-elle prendre des décisions qui bouleverseront à jamais son existence, lorsqu'elle voit ressurgir dans sa vie l'homme qui lui a jadis brisé le cœur et qui tient à présent son destin entre ses mains. Un roman intense qui ne manquera pas de vous émouvoir.

Tout comme le bouleversant roman de Maisey Yates, *Le play-boy de Santa Christobel* (Azur n° 3395). Pour ce sixième tome de votre saga « La Couronne des Santina », c'est dans l'intimité de la princesse Carlotta Santina que vous aurez le plaisir infini — et le privilège exclusif ! — d'entrer. Une jeune femme hors du commun, prête à tout pour protéger son enfant, déchirée entre ses devoirs royaux et son irrésistible envie de vivre pleinement.

Je vous souhaite une très belle rentrée, et un excellent mois de lecture.

La responsable de collection

L'héritier des Falconari

PENNY JORDAN

L'héritier des Falconari

collection Azur

éditions HARLEQUIN

Collection : Azur

Cet ouvrage a été publié en langue anglaise
sous le titre :
A SECRET DISGRACE

Traduction française de
CATHERINE BENAZERAF

83-85, boulevard Vincent-Auriol, 75646 PARIS CEDEX 13.

Service Lectrices — Tél. : 01 45 82 47 47
www.harlequin.fr

ISBN 978-2-2802-7982-6 — ISSN 0993-4448

1.

— Ainsi, vous prétendez que vos grands-parents ont exprimé le vœu que leurs cendres soient inhumées ici, dans le cimetière de l'église Santa Maria ?

La voix aux intonations viriles était aussi impénétrable que le visage dont le soleil qui jouait à travers les cyprès soulignait les traits, avec l'art consommé d'un Leonard de Vinci.

Louise songea que les hautes pommettes, la mâchoire volontaire, le nez aquilin, le teint hâlé ne laissaient aucun doute sur les origines de son interlocuteur.

Tout cela venait en droite ligne des peuples qui s'étaient succédé, au cours des siècles, sur les côtes de Sicile.

Spontanément, elle recula, soucieuse de se mettre à distance respectable, pour échapper à l'acuité de ce regard hautain.

Ce faisant, elle faillit trébucher contre la tombe qu'elle n'avait pas vue, derrière elle.

— Prenez garde !

Le geste était si vif que Louise se figea. Pareille à l'agneau terrifié qui voit fondre sur lui le faucon prédateur. Rapace qui, d'ailleurs, figurait aux armoiries de la famille Falconari.

De longs doigts fins se refermèrent sur son poignet, et Caesar Falconari la tira en avant d'un geste brusque. La chaude caresse de son haleine au parfum de menthe vint effleurer sa joue.

Incapable d'échapper à sa poigne d'airain, de prononcer la moindre parole, ni même de réfléchir correctement, Louise sentit une chaleur intense se propager dans ses veines. Comme si un flot de lave avait envahi tout son être, pour se répandre jusque dans les plus infimes de ses terminaisons nerveuses, la mettant au supplice.

Avec un haut-le-cœur, elle se reprocha d'être à ce point sensible au contact de cet homme.

Cela n'avait pas de sens ! se morigéna-t-elle. Pouvait-il lui inspirer autre chose qu'une parfaite indifférence ?

Lorsqu'elle retrouva sa voix, ce fut dans un souffle presque inaudible qu'elle lança :

— Lâchez-moi !

A son grand regret, sa requête tenait plus d'une supplication que d'un ordre impératif proféré par une femme maîtresse d'elle-même.

Il flottait autour de la jeune femme un parfum de rose anglaise et de lavande.

D'ailleurs, n'était-elle pas l'incarnation parfaite du sang-froid britannique ? En tout cas, c'était ce qu'elle avait montré jusqu'à ce qu'il pose la main sur elle et qu'elle révèle le tempérament de feu hérité de ses ancêtres siciliens.

— Lâchez-moi ! avait-elle ordonné.

Caesar pinça les lèvres pour ne pas se laisser envahir par les images que ces paroles avaient éveillées dans son esprit. Les souvenirs qui l'assaillaient étaient si douloureux qu'il ne pouvait que se cabrer instinctivement sous leur attaque.

Tant de souffrance ! Tant de culpabilité à porter !

Allait-il se résoudre à faire ce qu'il devait ?

N'était-ce pas prendre le risque d'accroître l'animosité

de la jeune femme à son égard et son propre sentiment de culpabilité ?

Néanmoins, il n'avait pas le choix. Comme d'habitude, il lui fallait tenir compte d'intérêts supérieurs. Comme toujours, il devait avant tout penser à tous ceux qui dépendaient de lui. A sa famille, également, et à son nom.

Il sentit les coups sourds de son cœur résonner dans sa poitrine. Jamais il n'aurait imaginé être à ce point troublé par cette jeune femme à la fascinante sensualité. Comme le volcan qui dominait sa chère Sicile, elle était le feu sous la glace. Or, il y était bien plus sensible qu'il ne l'aurait voulu.

Pourtant, ce n'était pas les jolies femmes qui manquaient dans son entourage. Et toutes étaient plus que disposées à partager son lit. Il avait d'ailleurs laissé faire bon nombre d'entre elles, jusqu'à ce qu'il se voie contraint d'admettre que le plaisir que lui apportaient ces échanges était vide de sens et ne lui laissait qu'un sentiment d'amère frustration. Que n'aurait-il donné pour partager davantage !

Cependant, il n'ignorait pas que le genre de femme avec laquelle il serait en mesure de construire une relation suffisamment riche et gratifiante ne saurait se contenter du peu qu'il avait à offrir.

Ne lui était-il pas interdit d'aimer comme il le souhaitait ? N'était-il pas ligoté par le devoir ? Contraint de marcher sur les traces de ses ancêtres et de penser avant tout au bien-être de ceux qui comptaient sur lui pour assurer leur avenir ?

Depuis sa plus tendre enfance, on lui avait inculqué ce sens du devoir. L'orphelin d'à peine six ans, pleurant pour qu'on lui rende ses parents, s'était entendu répéter qu'il ne devait en aucun cas oublier son rang et ses obligations. Les villageois avaient même envoyé une délégation pour lui rappeler ce que signifiait la succession de son défunt père. Les étrangers ne pouvaient comprendre des croyances et des coutumes qu'ils devaient juger bien strictes, pour ne pas dire cruelles.

Petit à petit, il parviendrait à les faire évoluer. Il s'y employait de toutes ses forces. Mais il se devait d'avancer avec prudence, d'autant que le personnage le plus influent du conseil communal était arc-bouté sur les traditions, et farouchement hostile à tout changement.

Quoi qu'il en soit, Caesar n'était plus le frêle gamin de six ans. Il était décidé à faire changer les choses.

Un instant, il laissa dériver ses pensées.

Si seulement, rêva-t-il, il parvenait à imposer des transformations radicales…

Pourrait-il alors rétablir les droits de ceux qui avaient été autrefois lésés ? Trouverait-il la solution pour… ?

Il s'arracha à ces chimères, pour reprendre pied dans la réalité.

— Vous n'avez pas répondu à ma question, au sujet de vos grands-parents, rappela-t-il à Louise.

Louise avait beau détester ce ton autoritaire, elle n'en fut pas moins soulagée de se retrouver en terrain connu.

— C'est exact, répondit-elle sèchement.

Elle ne désirait qu'une chose : que cet entretien prenne fin au plus vite.

Etre obligée de ramper devant ce duc sicilien heurtait au plus haut point ses convictions profondes. Devoir tolérer ses manières autoritaires et arrogantes — lesquelles n'enlevaient rien à son charme ténébreux, et à son incomparable beauté —la révulsait.

Caesar Falconari régnait en maître sur les environs, ainsi que sur une partie non négligeable de l'île.

Pour tous ceux qui vivaient sur ses terres, il était le *patrono* — une sorte de père spirituel dans la culture locale. Que certains d'entre eux soient assez vieux pour être ses grands-parents n'y changeait rien. Ce rôle lui était échu en héritage, en même temps que le titre et les domaines.

Louise n'ignorait rien de tout cela.

Comment l'aurait-elle pu ?

Durant toute son enfance, elle avait entendu ses propres grands-parents évoquer la dure vie qui avait été la leur dans leur pays natal, au service de la famille Falconari, dont le dernier représentant se tenait devant elle, dans l'ombre paisible de ce petit cimetière.

En frissonnant, elle laissa son regard errer vers l'Etna, dont les vapeurs sulfureuses s'élevaient, menaçantes, contre le ciel d'azur.

Il n'était pas rare que, sur ses pentes escarpées, se forment soudainement de terribles et dangereux orages, capables de déchaîner leur redoutable puissance.

Une puissance semblable à celle de l'homme qui l'observait avec attention.

Louise détestait les orages.

La jeune femme qui le défiait ne ressemblait en rien à l'image que Caesar avait en tête.

Cette chevelure dorée comme les blés, ces prunelles vert d'eau, n'avaient rien de particulièrement sicilien.

Pourtant, il y avait dans son maintien toute la fierté des Italiennes. De taille moyenne, mince jusqu'à en paraître presque frêle — comme en témoignaient ses fins poignets à la peau mate —elle était d'une exquise féminité. Une impression que renforçait l'ovale délicat de son visage aux hautes pommettes.

C'était une très belle jeune femme, qui devait faire se retourner tous les hommes sur son passage.

La mère de Louise Anderson était la fille du couple de Siciliens dont elle voulait déposer les cendres dans ce tranquille cimetière. Son père était australien, bien que lui aussi d'origine sicilienne.

Caesar était intimement persuadé qu'il n'y avait rien de naturel dans le détachement olympien qu'affichait Louise.

Quant à ses propres sentiments, il ne s'était pas attendu à ce qu'ils soient aussi intenses lorsqu'elle paraîtrait à ses yeux.

Il se détourna afin de dissimuler son trouble. N'allait-elle pas trop aisément lire en lui ?

De par sa formation de psychologue, elle était habituée à voir clair dans l'âme de ses semblables, et à y déchiffrer leurs secrets les mieux gardés. Il ne fallait surtout pas qu'elle perce à jour ce qu'il dissimulait au tréfonds de lui-même.

Ne risquait-elle pas de déchirer le fin voile dont il s'était efforcé de recouvrir la culpabilité, mêlée de douleur, qui le taraudait depuis si longtemps ?

Cela faisait maintenant plus de dix ans qu'il vivait avec le poids du terrible fardeau de la honte. Et il continuerait ainsi, éternellement. C'était certain.

Il avait tenté de faire amende honorable. Une lettre était partie, écrite d'une plume trempée dans ce qui lui avait semblé être son propre sang. Une lettre dans laquelle il exprimait ses regrets, et ses espoirs. Mais elle était restée sans réponse. Le pardon lui avait été refusé.

Comment aurait-il pu en être autrement ? Ce dont il s'était rendu coupable était impardonnable.

Caesar savait qu'il porterait jusqu'à la fin de sa vie le souvenir douloureux de sa faute. C'était son châtiment. On ne pouvait effacer le passé, et rien ne rachèterait les erreurs commises.

La présence de Louise ne faisait qu'exacerber sa souffrance, jusqu'à la rendre tellement insupportable qu'il avait l'impression qu'un poignard se plantait dans son cœur chaque fois qu'il inspirait.

A sa demande, la conversation se déroulait en anglais.

Quiconque aurait vu Louise s'entretenir avec lui, dans sa sobre robe bleu pâle et son modeste châle de lin blanc, aurait pensé qu'il s'agissait d'une touriste britannique en vacances en Sicile.

Dans la poche intérieure de sa veste, Caesar perçut le froissement de la lettre qu'il y avait glissée.

Comme si l'homme qui l'observait avait manipulé un ressort qu'il pouvait bander à sa guise, Louise sentit croître en elle une insupportable tension.

Il était de notoriété publique que les Falconari, à travers l'histoire, s'étaient toujours montrés capables de cruauté à l'égard de ceux qu'ils jugeaient plus faibles qu'eux.

Cependant, Caesar Falconari n'avait aucune raison de se comporter ainsi avec ses grands-parents, pensa Louise. Ni même avec elle.

Cela avait été un choc lorsque le prêtre auquel elle avait écrit pour lui faire part du souhait de ses grands-parents l'avait informée qu'il lui faudrait obtenir l'accord du duc — ce qu'il qualifiait de « simple formalité » —et qu'il avait fait le nécessaire pour lui ménager un rendez-vous.

Louise aurait largement préféré que l'entretien se déroule dans l'anonymat et l'agitation de son hôtel. Le cimetière était bien trop calme, trop chargé du souvenir muet de tous ceux qui y reposaient. Mais la parole du duc Falconari avait force de loi.

Cette pensée suffit à la faire reculer d'un pas. Cette fois, elle s'assura au préalable que rien ne ferait obstacle à sa retraite. Prendre un peu de distance lui permettrait peut-être d'échapper au charisme de cet homme. A son saisissant magnétisme viril. Du moins l'espérait-elle.

Un frémissement la parcourut tout entière. Elle ne s'était pas attendue à être à ce point bouleversée par la sensualité qui émanait de lui.

Beaucoup plus, en fait, que lorsque…

Louise se raidit pour ne pas laisser ses pensées s'engager sur cette pente fatale. La voix autoritaire de Caesar réclamant son attention lui parut constituer une heureuse diversion.

— Vos grands-parents ont quitté la Sicile juste après leur mariage pour s'établir en Grande-Bretagne. Pourquoi choisir d'être enterrés ici ?

Comme cela ressemblait au genre d'homme qu'il était ! Un seigneur arrogant, imbu de son pouvoir sur ses vassaux.

En son for intérieur, Louise s'indigna qu'il puisse contester les désirs de ses grands-parents, comme s'ils étaient encore des serfs, soumis au bon vouloir de leur maître.

Son sang ne fit qu'un tour à cette idée, et elle se réjouit presque qu'il lui donnât cette raison de lui en vouloir.

Comme si elle avait *besoin* de se justifier des sentiments qu'elle entretenait à son égard ! N'étaient-ils pas plus que légitimes ?

— Ils sont partis parce qu'il n'y avait pas de travail pour eux, ici. S'échiner à cultiver la terre pour vos parents, comme l'avaient fait bien des générations avant eux, ne leur permettait même pas de gagner de quoi survivre. Mais la Sicile est toujours restée leur patrie. C'est pour cela qu'ils tenaient tant à y reposer.

La virulence de ce réquisitoire ne laissait planer aucun doute sur la nature de l'attachement de Louise, songea Caesar.

— Je m'étonne, répliqua-t-il, l'air perplexe, qu'ils aient confié le soin de faire exécuter leurs dernières volontés à leur petite-fille plutôt qu'à leur descendante directe, en l'occurrence votre mère.

De nouveau, il sentit la lettre contre sa poitrine. Son sentiment de culpabilité se réveilla…

N'avait-il pas déjà formulé des excuses à l'intention de

Louise ? Le passé était le passé. On ne pouvait réécrire l'histoire. Quant aux scrupules qui le tourmentaient, n'étaient-ils pas la marque d'une faiblesse qu'il ne pouvait se permettre ?

Surtout quand tant de choses étaient en jeu !

— Cela fait des années que ma mère vit aux Etats-Unis, à Palm Springs, avec son nouveau compagnon. J'ai toujours habité Londres.

— Avec vos grands-parents ?

Il avait lancé cette question d'un ton presque affirmatif, et Louise se demanda s'il était en train d'essayer de la faire sortir de ses gonds, afin d'avoir une bonne raison de repousser sa requête.

Il était bien capable d'une telle duplicité. Cependant, c'était peine perdue avec elle. Depuis longtemps, elle avait appris à cacher ses sentiments.

N'avait-elle pas acquis une solide expérience dans ce domaine ?

C'était indispensable, lorsqu'on se voyait accuser d'avoir attiré la honte sur sa famille… Même que ses propres parents s'étaient détournés d'elle, et cette accusation la poursuivrait jusqu'à son dernier jour, elle le savait.

— Oui, confirma-t-elle. Je suis allée vivre chez eux après le divorce de mes parents.

— Mais pas tout de suite après, n'est-ce pas ?

Ce fut comme si une décharge électrique mettait une nouvelle fois à vif des brûlures que Louise avait crues cicatrisées depuis longtemps.

— Non, admit-elle.

Incapable d'affronter le regard qui la dévisageait, elle détourna les yeux vers l'enfilade de tombes. Il n'était pas question que son interlocuteur perçoive son malaise.

— Au début, reprit Caesar, vous avez vécu avec votre père. N'était-ce pas assez inhabituel, pour une jeune fille de dix-huit ans, de choisir d'aller vivre avec son père plutôt qu'avec sa mère ?

Que Caesar Falconari en sache autant sur son histoire surprenait à peine Louise. Le prêtre auquel elle s'était adressée lui avait demandé de nombreux détails sur sa famille et sa vie. De plus, elle connaissait les habitudes de la communauté sicilienne établie à Londres, et les liens étroits entre ses membres. Elle ne doutait pas qu'une enquête habilement menée n'ait apporté son lot d'informations.

A cette pensée, l'angoisse lui noua l'estomac. Qui sait s'il n'allait pas lui refuser ce qu'elle demandait à cause de…

Quel choc cela avait été de se trouver face à *lui*, et non au prêtre comme elle l'avait imaginé !

A chacun des regards que Caesar lui décochait, à chacun des silences qu'il observait avant de poser une question, Louise se raidissait dans l'attente du coup auquel elle savait devoir se préparer. Son désir de tourner les talons pour s'enfuir à toutes jambes était si fort qu'elle en tremblait de tout son être.

Mais à quoi bon fuir ? Ce serait aussi vain que de prétendre retenir la lave s'écoulant d'un volcan. Tout ce qu'elle y gagnerait serait de se torturer encore davantage, en imaginant ce que le sort pouvait bien lui réserver de plus affreux.

Mieux valait faire face, et garder intacte son estime d'elle-même.

Il lui fallut un sérieux effort de volonté pour ne pas donner libre cours à ses sentiments. La nature des relations qu'elle entretenait avec sa mère ne regardait en rien Caesar Falconari !

Toutes deux n'avaient jamais été proches l'une de l'autre. Louise avait toujours su que sa mère se souciait davantage de ses nombreuses liaisons que de son enfant. Lorsqu'elle avait fini par annoncer son intention de s'installer à Palm Springs, Louise en avait presque été soulagée.

Quelques secondes s'écoulèrent avant qu'elle ne se résolve à répondre d'un air distant :

— Lorsque mes parents ont divorcé, j'étais en dernière année de lycée à Londres. Le plus raisonnable était que je m'installe avec mon père dans l'appartement qu'il avait loué après la vente de la maison familiale. Ma mère se préparait déjà à quitter l'Angleterre.

Pourquoi fallait-il qu'il lui pose des questions aussi indiscrètes ? s'indigna Louise en son for intérieur. C'était comme autant de coups de poignard qu'il lui portait à travers la cuirasse qu'elle s'était forgée pour se protéger contre ses souvenirs.

Cependant, il aurait été stupide de se mettre Caesar Falconari à dos en refusant de lui répondre. Elle ne pouvait prendre ce risque.

Qu'il cède à la supplique de ses grands-parents, et ensuite elle lui dirait son fait. Alors, seulement, elle serait en mesure d'enterrer le passé à jamais.

Une fois qu'elle aurait mené à bien la mission sacrée qui lui avait été confiée, elle pourrait enfin aller de l'avant.

Comme elle avait changé depuis ses dix-huit ans !

Comme la gamine indisciplinée, dominée par ses émotions, était loin ! Mais que le prix à payer pour ce changement avait été lourd !

Encore aujourd'hui elle détestait se remémorer ces années tumultueuses. Cette période où elle avait assisté à la séparation de ses parents, et en avait subi les conséquences.

Elle avait alors été ballottée entre leurs deux foyers, comme un paquet indésirable que l'on se renvoie. Et cela avait été encore plus vrai lorsque son père avait refait sa vie. C'était à ce moment-là qu'elle avait commencé à se comporter tellement mal que ses parents, par crainte du déshonneur, avaient pu se détourner d'elle sans le moindre scrupule.

A y repenser, elle ne pouvait tout à fait les blâmer

de n'avoir vu en elle qu'une enfant rebelle qui ne savait quelle bêtise inventer pour susciter l'intérêt d'un père le plus souvent retenu loin du foyer par son travail.

Peut-être avait-elle perçu, à un très jeune âge, que celui-ci n'avait jamais souhaité ni son propre mariage, ni la naissance de sa fille ?

Jeune universitaire brillant, promis à un avenir prestigieux, il avait vécu comme une catastrophe d'être obligé d'épouser la jolie jeune fille qui s'était laissé mettre enceinte dans l'espoir d'échapper aux étouffantes contraintes de la tradition sicilienne.

Louise ne s'était jamais perçue comme étant héritière de cette tradition. Néanmoins, il coulait suffisamment de sang sicilien dans ses veines pour qu'elle se soit sentie humiliée de ne pas mériter l'amour de son père.

Dans la culture italienne, il est de règle que les hommes soient fiers de leur progéniture et aient une attitude très protectrice à leur égard.

Son père ne l'avait pas désirée. Il n'avait vu en elle qu'un obstacle l'empêchant de mener à bien ses projets. Petite fille, elle l'avait agacé par ses pleurs et son besoin d'affection. Adolescente rebelle, elle s'était attiré ses foudres. Pour cet homme, épris de liberté, le mariage et la paternité n'avaient été que des chaînes qui l'entravaient. Il n'était donc pas surprenant que toutes les tentatives de Louise pour obtenir son amour aient échoué.

Elle avait dix-huit ans lorsque ce père — certes fuyant, mais néanmoins adulé —avait révélé sa liaison avec sa secrétaire australienne, Melinda Lorrimar, à peine âgée de vingt-sept ans. Il n'avait pas fallu longtemps pour qu'une terrible rivalité surgisse entre l'adolescente qu'elle était et sa toute jeune belle-mère.

Louise était très jalouse de la ravissante Melinda, et des deux petites filles qu'elle avait eues d'un précédent mariage ; lesquelles avaient immédiatement occupé la chambre qui était à l'origine la sienne chez son père.

Comme d'habitude prête à tout pour gagner les faveurs de celui-ci, elle était allée jusqu'à se teindre en brune pour tâcher de ressembler aux trois intruses, dotées de chevelures d'un noir de jais. Pour faire bonne mesure, elle se maquillait outrageusement et s'était mise à porter des tenues aguicheuses.

Puisque la très sophistiquée Melinda avait réussi à le rendre fou d'amour, pourquoi ne serait-il pas aussi fier d'elle-même qu'il l'était de sa compagne, si elle parvenait à faire tourner les têtes ? avait imaginé Louise.

Elle n'avait pas tardé à se rendre compte que cette manœuvre était sans effet. Aussi avait-elle changé de stratégie, et entrepris de le scandaliser.

Tout valait mieux que son indifférence.

Torturée par le besoin dévorant de se sentir aimée, elle aurait fait n'importe quoi pour que son père cesse enfin de ne voir en elle que la simple évocation de la bévue qui l'avait précipité dans un mariage non désiré.

Cette obsession se doublait chez elle d'une candeur de gamine, qui lui faisait attendre un prince charmant de contes de fées.

— Pourtant, lorsque vous avez commencé vos études universitaires, vous demeuriez chez vos grands-parents, reprit Caesar. Vous n'étiez plus chez votre père.

La voix chaude du duc la ramena à la réalité.

Soudain, elle prit conscience du pouvoir qu'exerçait sur elle sa simple présence. Un frisson la parcourut. C'était à la fois inattendu et terriblement déstabilisant.

Des gouttes de sueur perlèrent sur son front et, sous la fine étoffe de ses vêtements, elle sentit son corps s'embraser.

Que lui arrivait-il ?

La panique mit ses nerfs à vif. Tout autant que si on y avait fait tomber des gouttes d'acide.

Tout cela n'était pas… *acceptable.*

C'était… *injuste.*

Louise se figea. Caesar Falconari ne devait surtout pas se rendre compte de l'effet qu'il lui faisait. Il prendrait trop de plaisir, sinon, à l'humilier. La seule chose qui devait l'alerter, le concernant, était le danger qu'il représentait pour elle.

L'adolescente immature était loin derrière elle, se sermonna-t-elle, en luttant pour reprendre pied dans le maelstrom d'émotions qui submergeaient ses sens, bien trop vulnérables.

— Vous semblez très renseigné sur ma vie. Aussi, je pense que je ne vous apprendrai rien en vous disant que mon père a fini par me mettre à la porte de chez lui. Il jugeait ma conduite à l'égard de sa future épouse particulièrement odieuse. Quant à celle-ci, elle redoutait que je ne perturbe ses deux fillettes.

— Il vous a jetée dehors.

Ce n'était pas une question. Plutôt une constatation.

De nouveau, Caesar sentit les affres de la culpabilité lui broyer le cœur comme dans un étau.

Lui qui, au cours des dix années passées, s'était employé à améliorer la destinée des siens, ne pouvait tolérer que ceux qui auraient dû aimer et protéger Louise lui aient fait subir un sort aussi cruel. Savoir cela ne faisait qu'alourdir la faute qui pesait sur lui.

Sentant le rouge lui monter aux joues, Louise voulut espérer que seul le sentiment d'injustice que ces souvenirs faisaient remonter en elle provoquait cette malencontreuse réaction.

Pourquoi n'était-elle pas davantage maîtresse d'elle-même, et de ses émotions ?

— Mon père et Melinda voulaient repartir de zéro en Australie, expliqua-t-elle. Garder l'appartement de Londres était impossible. De plus, j'étais majeure, et étudiante. Mais, oui, on peut dire qu'il m'a jetée dehors.

Dire, songea Caesar, qu'elle s'était retrouvée seule, sans personne pour prendre soin d'elle, tandis que lui-même était à des milliers de kilomètres, absorbé dans ses efforts pour améliorer la vie de gens qui étaient parmi les plus pauvres sur la planète !

Tout ça pour tâcher de se racheter en étant utile à d'autres.

Il n'aurait servi à rien d'expliquer cela à Louise. Elle lui en voulait trop pour être en mesure de l'entendre.

— Est-ce à ce moment-là que vous avez emménagé chez vos grands-parents ?

Mieux valait s'en tenir à l'évocation de détails pratiques, plutôt que de s'aventurer sur le terrain périlleux des émotions.

Les nerfs à fleur de peau, Louise s'insurgea intérieurement contre la façon dont Caesar s'obstinait à remuer des souvenirs douloureux pour elle. Ne lui avait-il pas assez fait de mal ?

Encore aujourd'hui, il lui était pénible de se remémorer ces moments qui l'avaient vue désespérée, abandonnée de tous.

Heureusement que ses grands-parents s'étaient trouvés là pour la recueillir et lui donner l'amour qui l'avait sauvée.

Elle s'était toujours promis que, quoi qu'il puisse lui en coûter, elle s'acquitterait de sa dette envers eux.

— Oui.

— C'était très courageux de leur part, étant donné…

— Etant donné ce que j'avais fait ? Oui, en effet, il leur a fallu du courage. Autour d'eux, il n'a pas manqué de détracteurs pour les condamner, tout comme ils m'avaient condamnée, moi. J'avais plongé ma famille dans le déshonneur, et par ricochet je risquais d'attirer l'opprobre sur toute la collectivité. Mais vous êtes parfaitement au courant de tout cela, n'est-ce pas ? Vous n'ignorez rien de ma conduite ignominieuse, et des ravages qu'elle a causés à ma réputation, et à celle des miens. Dans notre communauté, mon nom était devenu synonyme de scandale. Vous savez à quel point mes grands-parents en ont été affectés. Pourtant, ils m'ont soutenue. Alors, vous comprenez pourquoi, aujourd'hui, j'accepte de me présenter devant vous, pour subir cette nouvelle humiliation de votre part.

Caesar aurait tant souhaité pouvoir dire à quel point il était désolé ; rappeler qu'il avait, en son temps, présenté des excuses.

Malheureusement, c'était hors de question. Il lui fallait tenir bon face à Louise. Tant de choses étaient en jeu, qui allaient bien au-delà de leurs sentiments respectifs.

— Si je comprends bien, vous tenez à vous acquitter de votre dette envers vos grands-parents, en accomplissant leurs dernières volontés ?

— Reposer sur la terre de leurs ancêtres était leur souhait le plus cher. Bien sûr, c'était devenu encore plus fondamental pour eux après… le scandale. Etre acceptés dans cette église, où ils avaient été baptisés, où ils s'étaient mariés, était leur seule manière de réintégrer la communauté. Je suis prête à tout pour qu'il en soit ainsi. Même à me traîner à vos pieds.

La franchise avec laquelle Louise parlait d'elle-même décontenançait quelque peu Caesar. Il s'était préparé à ce qu'elle fasse preuve d'hostilité à son égard, à ce qu'elle l'agresse. Sa franchise le prenait au dépourvu.

Elle parvenait à toucher en lui l'homme moderne, cultivé et averti, qui faisait tout son possible pour conduire sur la voie du progrès les gens dont il avait la charge, sans pour autant renoncer à défendre leurs traditions.

La jeune femme qui était devant lui avait été victime d'un système de valeurs qui la condamnait pour avoir transgressé des règles archaïques.

Comme un fer incandescent, Caesar sentit la lettre pliée dans sa poche marquer sa poitrine d'une blessure cuisante.

Sous le regard perçant de son interlocuteur, Louise

sentit qu'elle n'allait pas tarder à perdre son sang-froid. Elle s'affola. C'était hors de question !

Certes, il n'était pas surprenant que toutes les questions de Caesar Falconari la révulsent. Cependant, elle devait à tout prix résister à cette furieuse envie de l'envoyer promener.

Rien n'avait d'importance, sinon le devoir de reconnaissance qu'elle avait à l'égard de ses grands-parents. Personne ne se mettrait en travers de son chemin. Surtout pas cet arrogant Sicilien, qui ne lui inspirait que colère et dégoût.

Et que lui importait cette mortification supplémentaire, après tout ce qu'elle avait subi ?

Lorsqu'elle avait été recueillie par ses grands-parents, Louise était à bout de forces. Le traumatisme, la honte, la colère, avaient eu raison d'elle. Son seul désir avait été de se cacher de tous. Y compris d'elle-même.

Ce foyer qu'ils lui offraient avait été son sanctuaire. Enfin, on lui donnait l'amour que ses propres parents lui avaient toujours refusé. Ses grands-parents l'avaient accueillie quand tous la rejetaient. Au pire moment de sa vie.

Elle aurait tout donné pour échapper à ce voyage en Sicile, mais elle leur devait tant !

Elle s'était résolue à accepter tous ces sacrifices pour effacer le déshonneur dont son comportement avait entaché leur patronyme, en luttant pour obtenir satisfaction de leur vœu ultime.

Malgré tout, elle n'avait jamais envisagé qu'il lui faudrait justifier sa démarche devant Caesar Falconari.

A vrai dire, elle avait cru qu'il éprouverait les mêmes réticences qu'elle à l'idée d'une telle rencontre. Apparemment, c'était sans compter sur son incroyable arrogance.

— Vous n'êtes pas sans savoir que la réponse à votre

requête ne dépend pas seulement de moi. Les sages du village…

— S'en remettront à vous, le coupa Louise. Ne me croyez pas assez stupide pour ignorer cela. Vous êtes le seul à avoir autorité en la matière et à pouvoir satisfaire le souhait de mes grands-parents. Leur refuser de reposer là où ils le désiraient serait cruel. Cela reviendrait à les punir injustement.

— C'est la règle dans notre société. Toute la famille porte le poids de la faute commise par l'un de ses membres. Je ne vous apprends rien.

— Vous trouvez que c'est équitable, peut-être ?

— Les habitants de cette région de Sicile continuent à se conformer à des lois et des coutumes séculaires. J'essaie de les accompagner sur la voie du changement, pour ce que je considère être leur plus grand bien. Cependant, ce changement ne peut s'effectuer que lentement, si l'on ne veut pas qu'il conduise au conflit et à la défiance entre générations.

Caesar n'avait pas tort, admit Louise, bien qu'il lui en coûtât. Il avait le pouvoir de faire évoluer les choses, et d'amener ces gens à s'ouvrir aux promesses de l'avenir. Mais il lui fallait au préalable les convaincre de laisser les fantômes du passé reposer en paix.

En attendant, c'était du repos éternel de ses propres aïeux qu'elle devait discuter avec lui.

— Mes grands-parents ont fait beaucoup pour leur communauté, dit-elle. Dès le moment où ils ont émigré, ils ont envoyé de l'argent sur l'île, pour subvenir aux besoins de leurs proches. Ensuite, ils ont donné du travail à tous ceux qui quittaient le village pour s'établir à Londres. Ils les ont hébergés et ont pris soin d'eux. Ils ont donné sans compter à cette église, ainsi qu'aux œuvres de charité. N'est-ce pas un juste retour des choses que de leur rendre grâce ?

Louise défendait la cause de ses grands-parents avec

passion, et sa sincérité était indéniable. Caesar ne pouvait que le reconnaître.

Son téléphone portable vibra, lui rappelant qu'il avait un autre rendez-vous. Il n'avait pas envisagé que cette entrevue se prolonge ainsi. Malgré tout, il y avait encore bien des points qu'il devait éclaircir, bien des questions qu'il lui fallait poser.

— Je dois vous laisser, dit-il. On m'attend. Quoi qu'il en soit, cette discussion n'est pas terminée. Je vous contacterai.

Caesar tourna les talons. Visiblement, il n'avait pas l'intention d'apaiser ses inquiétudes dans l'immédiat, songea Louise.

N'était-ce pas là la marque d'une personnalité impitoyable et arrogante ?

Et n'étaient-ce pas des caractéristiques innées chez lui ?

Comment avait-elle pu espérer qu'il se comporte différemment ?

Ce sur quoi elle aurait plutôt dû s'interroger était le soulagement qu'elle éprouvait à le voir s'éloigner.

Ne lui fallait-il pas s'alarmer d'être aussi vulnérable face à cet homme ?

Il n'avait fait que quelques mètres lorsqu'il se retourna.

A travers les cyprès, les rayons du soleil jouèrent une nouvelle fois sur les lignes fermes de son visage.

Louise crut voir l'un des farouches guerriers qui peuplaient son arbre généalogique. Ce mélange sulfureux de Romain et de Maure était gravé dans sa physionomie.

— Votre fils, lança-t-il, l'avez-vous amené avec vous en Sicile ?

2.

Louise eut l'impression que le ciel lui tombait sur la tête. N'aurait-elle pas dû s'attendre à cette question ?

— Oui, répondit-elle d'un ton sec.

Cette réponse laconique était la seule dont elle était capable, tant elle était pétrifiée de terreur.

Cependant, qu'avait-elle à redouter ? Elle ne faisait pas mystère d'être mère célibataire d'un garçonnet de neuf ans.

— Vous n'avez pas craint de le laisser seul, pendant que vous veniez ici. Il est bien jeune. Une mère responsable…

— La mère responsable que je suis a jugé préférable de lui épargner cette entrevue pénible. L'hôtel propose des leçons de tennis aux enfants des résidents. Il m'a semblé plus judicieux qu'il en profite. Oliver était très proche de son arrière-grand-père. L'amener ici aujourd'hui aurait été douloureux pour lui.

En son for intérieur, Louise tremblait de rage et d'indignation, mais il n'était pas question qu'elle se laisse aller à trahir ses émotions face à Caesar.

A vrai dire, depuis un peu plus d'un an, sa relation avec Oliver traversait une passe difficile.

L'enfant souffrait d'être privé de père et lui manifestait sans détour qu'il la tenait pour responsable de cet état de fait. A l'école, il ne cessait de se chamailler, et même de se battre, avec d'autres gamins qui avaient la chance d'avoir une famille.

Au grand désespoir de Louise, un gouffre s'était creusé entre elle et ce fils qu'elle chérissait tant.

Malheureusement, ce qu'Oliver lui réclamait avec acharnement était la seule chose qu'elle ne pouvait lui donner : un père.

Tant que son arrière-grand-père était en vie, le petit garçon avait pu profiter de l'influence équilibrante de cette présence masculine.

Mais même alors, et en dépit de tout l'amour que lui prodiguait le vieil homme, Ollie avait commencé à se renfermer, et à reprocher à sa mère de ne pas lui parler de ses origines.

Le grand-père de Louise avait été particulièrement inquiet de l'effet qu'avait sur l'enfant l'ignorance dans laquelle on le tenait quant à l'identité de son père.

Cependant, il admettait tout à fait que sa petite-fille ne puisse lui révéler les circonstances dans lesquelles il avait été conçu.

Louise adorait Ollie. Elle était prête à tous les sacrifices pour son bonheur. Néanmoins, elle ne pouvait lui révéler qui était son géniteur. En tout cas, pas tant qu'il était trop jeune pour comprendre.

— Il y a encore de nombreuses choses dont il nous faut débattre, déclara Caesar d'un ton péremptoire. Je passerai vous voir demain matin. Retrouvez-moi dans le salon de thé de l'hôtel, à 11 heures.

Caesar ne s'était pas soucié une seconde de savoir si elle avait d'autres projets pour le lendemain. Ni même si elle n'aurait pas préféré un autre lieu de rencontre.

Mais qu'attendre de plus de la part d'un tel homme ? s'indigna Louise en elle-même.

L'arrogance était sa caractéristique principale.

Une arrogance doublée d'une absence totale de compassion et d'un orgueil démesuré.

Depuis le cimetière, elle aperçut le capot étincelant de la limousine noire aux vitres fumées qui s'éloignait.

Son passager, lui, était invisible.

Comme elle aurait aimé ne pas avoir besoin de lui !

Depuis le sentier qui longeait les courts de tennis de l'hôtel, Caesar repéra facilement le fils de Louise. Il s'entraînait, au milieu d'un groupe d'enfants.

Plutôt grand et bien bâti pour son âge, il n'avait pas hérité de la carnation claire de sa mère. Ses cheveux bruns et son teint basané trahissaient ses origines siciliennes. Il jouait bien, avec concentration, et possédait un excellent revers.

Caesar jeta un coup d'œil à sa montre, et hâta le pas. Il ne voulait pas faire attendre Louise.

Comme chaque fois qu'il pensait à elle, il sentit le regret et la culpabilité lui serrer le cœur.

Louise vérifia l'heure. 11 heures. Son fils avait été heureusement surpris quand elle lui avait proposé une nouvelle leçon de tennis.

Elle se sentit honteuse. N'aurait-elle pas dû consacrer tout son temps à Ollie, et essayer de se rapprocher de lui ?

S'appuyant au dossier de la banquette, elle ferma les paupières.

Oliver souffrait de la disparition de son arrière-grand-père. Tous deux avaient été si proches ! Maintenant le petit garçon n'avait plus aucune figure masculine pour le guider dans la vie.

Lorsque Louise rouvrit les yeux, Caesar Falconari se dirigeait vers elle à grandes enjambées.

Vêtu plus simplement que la veille, il était malgré tout un modèle d'élégance dans sa veste de lin ocre, son T-shirt noir, et son pantalon de toile beige.

Il n'y avait qu'un Italien pour porter avec une telle

désinvolture une tenue mettant à ce point en valeur sa sensualité. Ce n'était guère étonnant que toutes les femmes à la ronde aient tourné la tête vers lui, à peine était-il entré.

En tout cas, pensa Louise, ce n'était pas elle qui serait émoustillée de la sorte par le personnage. Loin de là !

Tu mens... Tu mens, persifla une petite voix querelleuse, au tréfonds d'elle-même.

Comment oublier cet instant où, la veille, son propre corps s'était révélé étonnamment sensible à la séduction de Caesar — et ce, bien malgré elle ?

En toute logique, n'aurait-elle pas dû être imperméable à un tel accès de fièvre ?

Mieux valait ne pas accorder trop d'importance à cet incident, et essayer de l'oublier.

Mais que se passerait-il si de nouveau...

Non ! Elle ne devait surtout pas laisser son esprit dériver vers de telles pensées. A quoi bon se poser des questions qui n'avaient pas lieu d'être ?

Il était impératif qu'elle se concentre sur les raisons qui l'avaient conduite en Sicile.

Bien sûr ! songea-t-elle avec amertume, il suffit que Caesar s'asseye en face d'elle pour qu'une serveuse se matérialise comme par enchantement. Pour sa part, elle n'avait vu personne depuis qu'elle s'était installée pour l'attendre.

Contrairement à elle, qui avait opté pour un *caffè latte*, Caesar commanda un espresso.

— Je constate que votre fils prend de nouveau une leçon de tennis, déclara-t-il, à peine la serveuse disparue.

— Comment le savez-vous ? questionna Louise, soudain alarmée.

— Je suis passé près des courts.

— Eh bien, si notre entretien ne dure pas trop longtemps, je compte aller le voir s'entraîner.

Autant lui laisser entendre qu'elle espérait voir son affaire se conclure au plus vite, se dit Louise.

Caesar avait peut-être la haute main sur tout ce qui se passait dans ce coin de Sicile, ce n'était pas pour autant qu'elle allait ramper devant lui, s'indigna-t-elle intérieurement. Quand bien même elle ne pouvait se permettre de se le mettre à dos.

La jeune femme revint avec leurs commandes, et déposa la tasse devant Caesar avec une telle déférence que Louise se demanda si elle n'allait pas s'incliner et s'éloigner à reculons.

— Certes, reprit Caesar, cependant, il y a un autre sujet dont nous devons parler. En plus de l'inhumation des cendres de vos grands-parents.

Un autre sujet ?

Louise reposa sa tasse sur la table sans avoir rien bu. Les battements de son cœur s'accélérèrent et ses tympans se mirent à résonner comme si une sonnerie d'alarme s'était déclenchée dans sa tête.

— Voyez-vous, enchaîna Caesar après avoir avalé son café, il se trouve que dans les mois qui ont suivi le décès de votre grand-père, j'ai reçu un courrier que son notaire m'avait adressé sur ses instructions.

— Mon grand-père vous a écrit ? *A vous ?*

La gorge sèche, le souffle court, Louise avait eu toutes les peines du monde à formuler sa question.

— C'est exact, répondit Caesar. Il semble qu'il avait conçu quelques inquiétudes concernant l'équilibre de son arrière-petit-fils, et son avenir. Aussi avait-il jugé nécessaire de m'écrire.

Il fallut à Louise un effort surhumain pour ne pas trahir son émotion.

Bien sûr, elle n'ignorait pas à quel point son grand-père avait été préoccupé de voir Ollie s'opposer à elle, avec une colère et une rancune croissantes.

Il l'avait même mise en garde sur ce qu'il risquait d'advenir à plus ou moins longue échéance.

Tout le monde dans leur communauté, avait-il dit, était au courant de ce qu'ils jugeaient être le déshonneur de Louise. Il ne faudrait pas longtemps avant qu'Ollie n'entende rapporter cette version des événements dans la cour de son école.

Les enfants se montrent souvent cruels, que ce soit volontairement ou par accident, avait-il insisté.

Ollie avait déjà des relations difficiles avec ses camarades. Il fallait éviter que les choses ne s'enveniment.

Néanmoins, il avait convenu que Louise était pieds et poings liés et n'avait d'autre choix que de taire à son fils ses origines paternelles. Tout au moins dans l'immédiat.

C'était un terrible choc de découvrir qu'elle s'était méprise en croyant qu'il la comprenait et approuvait sa position.

En dépit de tout l'amour qu'elle éprouvait pour son aïeul, et de toute sa gratitude à son égard, il lui était impossible de contenir la colère que lui inspirait une telle révélation.

— Il n'avait pas le droit de faire cela ! lança-t-elle d'un ton acerbe. Même s'il était persuadé d'agir pour le bien d'Ollie. Il savait très bien que je détestais cette habitude sicilienne de s'en remettre au jugement du *patrono*, chaque fois que surgit un problème quelconque. C'est parfaitement archaïque !

— *Basta !* Cela suffit ! Ce n'est pas au *patrono* que votre grand-père s'est adressé. S'il m'a écrit, c'est parce qu'il prétend que je suis le père de cet enfant.

Comme si l'on venait de lui planter une dague en plein cœur, Louise fut transpercée sur-le-champ par une indicible et abominable souffrance. Le flot tumultueux d'émotions longtemps contenues balaya, comme un fétu de paille, les remparts qu'elle avait construits autour de son passé.

De nouveau, elle était la jeune fille de dix-huit ans, accablée par la honte et le poids de sa supposée indignité, ballottée au gré d'événements confus et déroutants, auxquels elle ne comprenait rien, sauf qu'ils la désignaient à la vindicte populaire comme un objet d'infamie.

Tout à coup, elle se retrouvait face à son père, dont elle revoyait l'expression de colère mêlée de répulsion, à l'annonce que sa fille était enceinte. Elle affrontait, une nouvelle fois, le sourire triomphant de Melinda, qui serrait contre elle ses deux fillettes et prenait son futur époux par la main, pour bien signifier qu'ils formaient une famille dont Louise était exclue.

Assaillie par de douloureux souvenirs, Louise ne put empêcher son visage de se crisper. Malgré tout son désir qu'il en fût autrement, elle demeurait sensible à l'opinion de Caesar.

C'était *impossible* ! s'obligea-t-elle à penser.

Il lui fallait reprendre pied dans le présent, et endiguer le flot des souvenirs.

A entendre le ton cinglant qu'avait employé Caesar, et à en juger par le fait qu'il s'était exprimé en italien, il semblait qu'il soit près de perdre patience.

Cependant, Louise n'en avait cure. Ses problèmes étaient de tout autre nature.

Oliver était son fils. A elle, et elle *seule* ! Caesar n'avait rien à faire dans sa vie, et elle tenait à ce que les choses demeurent ainsi.

Quand bien même il était son père biologique.

Sur le visage de Louise, Caesar lisait comme à livre ouvert. Les expressions qui s'y succédaient trahissaient les émotions qu'elle s'efforçait de refouler.

Lui-même sentit tous ses muscles se contracter.

Pourquoi ne disait-elle pas si ce qu'avait écrit son grand-père était vrai ?

Apparemment, elle n'avait aucune intention de lui faire endosser la paternité de son enfant.

Louise frissonna. Pourquoi son grand-père avait-il trahi ainsi sa confiance ?

Cependant, malgré toute sa colère, sa peine, son désarroi, elle comprenait en partie ce qui avait pu le pousser à une telle démarche.

Comment aurait-elle pu oublier la pâleur du vieil homme, les mains que sa grand-mère serrait contre elle pour dissimuler leur tremblement, lorsqu'elle leur avait avoué toute la vérité ? Quand, après leur retour à Londres, elle avait découvert qu'elle attendait un enfant.

Contrairement aux insinuations malveillantes, elle n'avait jamais eu qu'un seul amant.

Un seul homme pouvait être le père.

Et cet homme n'était autre que Caesar Falconari. Le *Duca di Falconari*, seigneur et maître des vastes étendues de Sicile qui avaient vu naître les grands-parents de Louise.

Ces derniers avaient promis qu'ils ne révéleraient jamais ce lourd secret à personne. D'ailleurs, avaient-ils conclu, qui croirait leur petite-fille si celle-ci racontait son histoire ? Ce dont Louise, elle-même, était convenue.

Mais il fallait qu'elle cesse de ressasser de si cruelles évocations. Le passé était le passé ! Ses blessures n'avaient-elles pas fini par cicatriser ?

De plus, il lui fallait songer à Oliver.

Elle releva la tête pour affronter Caesar.

— Tout ce que vous avez besoin de savoir, dit-elle d'un air de défi, c'est qu'Oliver est mon fils. A moi *seule*.

C'était bien ce qu'il avait redouté, se dit Caesar. Les lèvres pincées, il prit l'enveloppe dans la poche de sa veste, en sortit la lettre écrite par le grand-père de Louise et la déposa sur la table avec les photos que ce dernier y avait jointes.

A leur vue, Louise sentit le souffle lui manquer.

Etait-ce bien elle, la jeune fille qui la regardait sur le cliché pris à l'époque ?

Cet été-là, ils s'étaient tous retrouvés en Sicile pour des vacances en famille. Melinda avait suggéré qu'elle-même, ses enfants et le père de Louise rejoignent cette dernière et ses grands-parents, en visite sur leur terre natale.

Dès les premiers jours, Louise avait compris quelles étaient les intentions de sa belle-mère en faisant une telle proposition. Il s'agissait encore une fois d'apporter la preuve que Louise n'avait aucune importance aux yeux de son père ; que seules comptaient pour lui désormais Melinda et ses fillettes.

Bien sûr, Louise avait réagi comme l'espérait sa marâtre. Elle s'était employée à attirer l'attention de son père de la seule manière qu'elle connaisse : en se comportant mal afin de le contraindre à s'occuper d'elle.

Ce fut presque avec un haut-le-cœur qu'elle contempla son portrait. A l'époque, elle ne s'était pas seulement mis en tête d'imiter l'apparence « sexy » de Melinda, elle avait même cherché à la surpasser dans ce domaine.

Par exemple, pour tâcher d'égaler le rideau de cheveux, lisse et brillant, de sa belle-mère, Louise avait teint son indomptable crinière blonde en un noir d'encre. Tandis que la toilette estivale préférée de Melinda était une courte robe ajustée de jersey blanc, Louise se promenait dans une minirobe noire, bien trop courte et exagérément moulante. Elle accompagnait cette tenue de talons aiguilles de la même couleur, au lieu des élégantes sandales qu'arborait la compagne de son père.

Pour compléter l'ensemble, elle ourlait ses yeux d'un épais trait de khôl et se tartinait de fond de teint. De plus, un piercing à la langue était censé témoigner de son esprit rebelle.

Au premier abord, la jeune fille sur la photo n'était rien d'autre qu'une adolescente bien trop délurée pour ses dix-huit ans. Cependant, Louise ne pouvait s'empêcher d'avoir le cœur serré devant l'évidente vulnérabilité de celle qui n'était encore qu'une enfant. Sa formation et son expérience lui permettaient d'en avoir conscience, mais un père aimant aurait pu tout aussi bien s'en rendre compte.

Elle se pencha de nouveau sur la photo.

Tout au long de ces vacances, elle s'était habillée de manière tellement provocante que tous les garçons du village, en quête d'une aventure facile, n'avaient cessé de venir tourner autour de la villa louée par ses grands-parents. Elle donnait l'impression d'être une fille facile, et c'était ainsi qu'on l'avait traitée. Bien sûr, elle avait fait fi des remarques de ses grands-parents lorsqu'ils essayaient de la convaincre de changer de style.

Contrairement à ce que laissait supposer son apparence, elle était encore très naïve, n'ayant fréquenté que les jeunes filles de bonne famille de son pensionnat. Tout ce qu'elle cherchait, en affichant cette façade, c'était à provoquer son père, à forcer son attention. Bien entendu, il avait réagi en l'ignorant, et en ne se consacrant qu'à Melinda et ses deux ravissantes petites filles.

Avait-il fallu qu'elle soit stupide !

— Quel changement, n'est-ce pas ? fit observer Caesar en tournant vers lui la photo. Je ne vous aurais jamais reconnue.

— J'avais dix-huit ans, et je cherchais à …

— A plaire aux hommes. Je m'en souviens.

Louise sentit son visage se colorer.

— Seulement à mon père, rectifia-t-elle.

Etait-ce la façon dont elle le regardait, se demanda Caesar, ou bien ses propres souvenirs qui le troublaient si profondément ?

En ce temps-là, il n'avait guère plus de vingt-deux ans. Il venait d'entrer en possession de son héritage, et n'était plus sous la surveillance des conseillers qui avaient géré sa fortune depuis le décès de ses parents. Il avait une conscience aiguë de ce qu'attendaient de lui tous ceux pour qui il était « Monsieur le duc » — tous soucieux de le voir préserver leurs traditions, et leur mode de vie.

Cela ne l'empêchait pas de chercher à faire habilement avancer ses projets de modernisation. Et ce, malgré l'hostilité à tout changement manifestée par les chefs de village les plus âgés.

Parmi eux, celui du plus important des villages — où résidaient Louise et sa famille —opposait un veto catégorique à toute innovation. A plus forte raison lorsqu'elle concernait la place des femmes dans la société. Sa conviction inébranlable était que ces dernières avaient un seul rôle à tenir : celui d'épouses soumises.

Cet homme — Aldo Barado —avait sous sa coupe les responsables de tous les villages avoisinants, et Caesar savait qu'il lui fallait compter avec son influence, quand bien même ses desseins réformistes avaient le soutien des jeunes générations.

Le comportement de Louise n'avait pas tardé à alerter Aldo Barado. La jeune fille n'était pas arrivée depuis plus de deux jours qu'il s'était rendu au *castello* pour se plaindre des effets déplorables de l'attitude de celle-ci sur les garçons du village. Et parmi eux, son fils unique qui, bien que fiancé, poursuivait l'étrangère de ses assiduités.

Caesar s'était vu contraint de répondre à la requête de Barado, lequel l'avait instamment prié de prendre les choses en main.

C'était la seule raison qui l'avait poussé à rendre visite à la famille de Louise. Il espérait ainsi évaluer par lui-même la situation et en toucher un mot au père de la provocatrice.

Par malheur, à peine avait-il posé les yeux sur la jeune fille qu'il en avait oublié toutes ses obligations.

En un instant, il avait compris pourquoi les garçons du village la trouvaient aussi attirante.

En dépit de son maquillage outrancier, et de son affreuse coiffure, elle rayonnait d'une extraordinaire beauté naturelle. Ses yeux, sa silhouette, sa bouche sensuelle qui promettait tant…

Caesar avait été bouleversé par les émotions qu'elle avait fait surgir en lui. Et encore davantage par son incapacité à maîtriser sa réaction.

Depuis que, à l'âge de six ans, il avait subitement perdu ses parents, il n'avait cessé de s'entendre répéter qu'il devait être fort, et ne jamais oublier qu'il était un Falconari.

C'était son devoir, et son destin, de veiller sur son peuple et de le guider. Son nom, et l'histoire de sa famille, devaient passer avant toute autre préoccupation.

Peu importaient ses propres émotions. En tout cas, il devait toujours les garder sous contrôle.

Il n'était pas un être humain, faible et vulnérable.

Il était *Duca*.

Bien sûr, à la suite de la visite d'Aldo Barado, il avait fait ce que l'on attendait de lui,

Ce n'était qu'aujourd'hui, après avoir lu la lettre du grand-père de Louise, qu'il avait conscience de ne s'être fié qu'aux apparences. Il avait écouté ce que le père de la jeune fille et sa future épouse avaient à dire.

A aucun moment, il n'avait cherché à entendre Louise.

De nouveau, il s'absorba dans la contemplation du cliché.

Avait-il fallu qu'il soit aveuglé par la terreur que lui inspiraient alors ses propres émotions pour ne pas percevoir ce qui lui sautait aux yeux à présent !

Dans le regard de l'adolescente, il y avait toute la détresse du monde. Seulement, il n'avait pas voulu la voir.

La colère qu'il éprouvait en cet instant n'avait d'autre cause que l'accablante culpabilité qui était la sienne.

— Et c'est pour plaire à votre père que vous avez couché avec moi ? demanda-t-il d'un ton acerbe.

Caesar n'avait pas tort de se moquer d'elle, pensa Louise. Tout ce qu'elle avait obtenu, c'était d'éloigner son père encore davantage. Lui qui n'avait jamais été capable de gérer les problèmes affectifs avait eu beau jeu de s'en remettre aux jugements désobligeants de Melinda et d'Aldo Barado. Il s'était joint à eux pour la condamner irrémédiablement.

Comme elle avait été naïve d'imaginer que Caesar prendrait sa défense !

Comment avait-elle pu s'attendre à ce qu'il clame à la face du monde qu'il était amoureux d'elle et ne laisserait personne lui faire du mal ?

Le jour où le chef du village était venu exiger qu'elle-même et les siens repartent aussitôt pour l'Angleterre — agissant sur ordre du duc, comme il le leur avait asséné —Louise avait compris quels étaient les véritables sentiments du jeune homme à son égard.

Son absence, et son silence, étaient assez éloquents !

A présent, elle avait acquis la compétence, et la maturité nécessaires pour analyser ce qui s'était passé.

Lorsque Caesar avait baissé la garde, oubliant toute retenue et toute prudence pour se laisser emporter avec elle jusqu'au paroxysme du plaisir, elle avait voulu y voir une preuve d'amour partagé, et s'était bercée de l'illusion qu'ils avaient un avenir ensemble. En fait, il n'avait fait que céder à son désir, et n'avait pas tardé à le regretter.

Dans les instants d'indicible bonheur qu'elle avait passés, blottie dans ses bras, Louise avait puisé la certitude que des lendemains radieux s'offraient à eux. Comment n'avait-elle pas deviné que Caesar ne pourrait surmonter ce moment d'abandon qu'en se persuadant que rien de tout cela n'avait de valeur ? Qu'il préfère, aujourd'hui encore, s'aveugler sur ses réelles motivations, c'était son problème ! se dit-elle.

Quant à elle, il était hors de question qu'elle le laisse se leurrer sur ce qui avait poussé dans ses bras l'innocente jeune fille qu'elle était alors et à laquelle il avait fait tant de mal.

Redressant la tête, elle prit son courage à deux mains et lui révéla l'amère vérité.

— A vrai dire, lorsque j'ai couché avec vous, je ne m'attendais nullement à être humiliée en public par le chef du village natal de mes grands-parents. Pendant ce temps, vous demeuriez à l'écart dans votre *castello*, drapé dans votre indifférence hautaine. Oh ! certes, je n'ai pas été lapidée, mais il s'en est fallu de peu ! La nouvelle que j'avais déshonoré ma famille a fait le tour du village à la vitesse de l'éclair. Or, la seule faute dont je m'étais rendue coupable, c'était d'avoir été assez stupide pour me croire amoureuse de vous et d'imaginer que cet amour était payé de retour.

Louise s'interrompit pour reprendre son souffle. Après toutes ces années passées à refouler son chagrin, c'était un incroyable soulagement de pouvoir l'exprimer au grand jour.

— Mais n'allez pas croire que je regrette que vous m'ayez rejetée comme vous l'avez fait, reprit-elle. Je suis certaine aujourd'hui que vous m'avez rendu un fier service. De toute façon, vous m'auriez laissée tomber, un jour ou l'autre, n'est-ce pas ? La petite-fille de ceux qui ne valaient guère plus que les serfs de vos ancêtres ne serait jamais assez bien pour vous !

— Louise…

La gorge serrée, Caesar se sentait incapable de réagir à cette longue diatribe.

De plus, tout comme autrefois, il n'était pas en mesure de laisser libre cours à ses émotions. Trop de choses étaient en jeu. A tort ou à raison, il ne pouvait tourner le dos à des siècles de tradition.

Tout ce qu'il pouvait faire, c'était lui demander pardon. Mais à quoi bon ? Le grand-père de Louise avait bien spécifié dans sa lettre que Caesar représentait tout ce que sa petite-fille exécrait. Aux yeux de la jeune femme, ils étaient ennemis à jamais. Or, ce qu'il avait à lui dire ne ferait qu'accroître l'animosité qu'elle concevait à son égard.

Caesar était pratiquement certain que le vieil homme se trompait en prétendant que l'enfant auquel Louise avait donné naissance était né de leur brève rencontre. N'avait-il pas pris alors toutes les précautions nécessaires ?

Pourtant, s'il s'avérait que cet enfant était bel et bien le sien…

Cette seule pensée suffisait à faire bondir son cœur dans sa poitrine.

D'un geste de la main, Louise empêcha Caesar de l'interrompre. Elle n'avait pas l'intention de renoncer à se défendre. Elle ne pouvait se résoudre à laisser salir son propre passé, et la victime qu'elle avait été.

— Lorsqu'un enfant grandit dans un environnement où le mal est objet d'attention et le bien ne suscite qu'indifférence, poursuivit-elle avec véhémence, il a tendance à privilégier les conduites négatives. Tout ce qui compte pour lui est de parvenir à ses fins.

Mais, était-ce bien la seule raison qui l'avait poussée dans les bras du jeune duc ? s'interrogea-t-elle.

N'avait-elle pas aussi voulu gagner son amour ?

Elle chassa promptement cette question dérangeante. Après tout, elle était bien trop jeune, à l'époque, bien trop immature, pour savoir ce qu'était l'amour — l'amour véritable.

A l'entendre s'exprimer ainsi, pensa Caesar, on ne pouvait ignorer à quelle profession Louise se consacrait.

— J'imagine que vous parlez d'expérience, avança-t-il.

— Exactement.

— Est-ce pour cela que vous êtes devenue psychologue, et que vous vous êtes spécialisée dans les problèmes familiaux ?

— En effet. Ce sont mes expériences — positives autant que négatives —qui m'ont poussée à travailler dans ce domaine.

— Pourtant, à en croire votre grand-père, cela n'empêche pas que vous rencontriez des difficultés avec votre propre fils.

Pouvait-elle admettre devant Caesar qu'Oliver montrait des traits de caractère hérités en droite ligne des Falconari ? En particulier cette fierté exacerbée, profondément blessée chaque fois que l'un de ses petits camarades ironisait sur le fait qu'il n'avait pas de père.

— Ne pas connaître l'identité de son père perturbe quelque peu Ollie, c'est évident. Lorsqu'il sera assez grand pour comprendre, je lui donnerai toutes les informations qu'il doit connaître.

— Et quelles sont-elles ?

— Ne faites pas l'innocent ! Pas vous ! Aldo Barado avait fait courir le bruit que j'avais des vues sur son fils. Mes parents, quant à eux, me soupçonnaient d'aguicher tous les garçons du coin. Mais vous ne pouvez ignorer dans quels bras je me suis couverte de honte. Dire que j'étais assez naïve pour supposer qu'en couchant avec un personnage aussi important, j'obligerais mon père à me regarder différemment !

Pour rien au monde, Louise n'aurait avoué que ce n'avait pas été sa seule motivation lorsqu'elle avait poursuivi Caesar de ses assiduités.

Cet élan à la fois terrifiant et délicieux qui l'avait précipitée dans les bras du jeune homme était aujourd'hui encore difficile à comprendre.

Pendant tant d'années, l'unique objet de son amour avait été son père. L'intensité du désir qu'elle avait soudain conçu pour Caesar lui paraissait alors tout aussi dangereux qu'inopportun. Au début, elle avait lutté pour l'étouffer. Puis, au fil des semaines, elle s'était laissé emporter par l'illusion que ce dernier pouvait concevoir envers elle des sentiments aussi forts que les siens. Comme elle avait été aveugle !

A présent, ses connaissances en psychologie lui

permettaient de comprendre à quel point il avait été incapable de faire fi des exigences imposées par sa position et par sa culture.

Louise ne pouvait que se féliciter d'avoir, pour sa part, échappé à ces contraintes. Elle était libre. Même si, à travers son fils, elle ne pouvait se défaire des liens qui l'attachaient à son passé. Tout comme elle-même, autrefois, Ollie éprouvait le besoin impérieux d'être aimé de son père.

Ses amis et ses collègues ne cessaient d'essayer de la convaincre qu'il lui fallait un homme dans sa vie, qui pourrait servir de modèle à son fils. Malgré tout, Louise était bien décidée à ne jamais se laisser prendre de nouveau au piège de l'amour. Elle redoutait trop de souffrir.

N'avait-elle pas fait don à Caesar de tout ce qu'elle était ?

Et qu'en avait-il fait ? Il l'avait rejetée, et avait permis qu'elle soit humiliée publiquement.

Depuis ce jour, elle avait enfoui au plus profond d'elle-même tout désir de tomber amoureuse, par crainte d'avoir à en pâtir. Elle préférait ne plus jamais laisser un homme s'approcher d'elle, plutôt que de prendre ce risque.

— La nuit où nous avons fait l'amour, j'ai utilisé un préservatif.

La voix de Caesar l'avait arrachée à ses réflexions.

Ainsi, il niait être le père de l'enfant qu'elle avait mis au monde, tout comme il avait nié par le passé avoir pour elle quelque sentiment !

Ni elle ni son fils n'avaient besoin de cet homme. Quoi qu'ait pu en penser son grand-père.

— Vous feriez mieux d'oublier les allégations de mon grand-père, rétorqua-t-elle, le cœur battant à tout rompre. Ollie n'a pas besoin d'un père soupçonneux, qui ne l'accepterait qu'avec réticence. Quant à moi, je n'ai aucun désir de revendiquer quoi que ce soit. Je ne suis pas venue en Sicile dans cette intention. Tout ce qui m'importe, c'est que vous autorisiez l'inhumation des cendres de mes grands-parents au cimetière de Santa Maria.

— Mais pensez-vous qu'Oliver est mon fils ?

Pourquoi cette question ? s'interrogea Louise. Ne lui avait-elle pas clairement signifié qu'elle n'attendait rien de lui ?

— La seule personne avec qui j'aborderai ce sujet, c'est Oliver lui-même. Lorsqu'il sera en âge de m'entendre.

— Ne serait-il pas plus simple de s'en remettre à un test de paternité ?

— Pour quoi faire ? Vous semblez si certain qu'il n'est pas de vous.

— Ce dont je suis certain, c'est que je n'accepterai pas qu'un enfant qui pourrait être le mien — même si cette éventualité est minime —grandisse en imaginant que je l'ai abandonné.

A ces mots, Louise sentit son sang se glacer dans ses veines, d'autant que Caesar semblait très sincère. Mais, cette fois, ce n'était pas de colère, mais bien de peur.

— Il est hors de question, que je soumette mon fils à un test pour votre confort moral ! A votre place, je m'estimerais heureux de savoir que je n'attends rien de vous. Ni au plan affectif, ni financièrement. Oliver est *mon* fils !

— D'après son arrière-grand-père, c'est aussi le mien. Si tel est le cas, cela me donne une responsabilité à son égard que je me refuse à ignorer. Il n'y a pas matière à perturber Oliver en quoi que ce soit. Le test peut s'effectuer sans même qu'il en soit informé.

— Je m'y refuse !

Louise sentait la panique la gagner.

— Vous m'avez dit à quel point il était important pour vous de faire respecter le vœu ultime de vos grands-parents. Eh bien, il est tout aussi essentiel pour moi de savoir si je suis ou non le père de votre enfant !

Il n'avait pas besoin d'en dire plus. Louise comprenait parfaitement où il voulait en venir.

— C'est un odieux chantage ! Croyez-vous que j'apprécierais de donner comme père à mon enfant un homme capable de telles pratiques ?

— Je suis tout à fait en droit de savoir ce qu'il en est au sujet d'Oliver. Votre grand-père était persuadé qu'il est mon fils. Tout comme il pensait que ce garçon a besoin de ma présence dans sa vie. C'est ce qu'il dit dans sa lettre. Je veux croire qu'il ne s'était pas tourné vers moi pour des raisons matérielles, mais bien parce qu'il savait à quel point cet enfant a besoin d'être éclairé sur ses origines. Oseriez-vous lui refuser cela, vous dont la profession consiste à gérer ce genre de problème ?

— Et qu'est-ce que cela apporterait à Oliver, de découvrir qu'il est le fils naturel d'un homme qui a permis que sa mère soit publiquement vilipendée ? Un homme qui aurait sans doute préféré que le test de paternité se révèle négatif ? Un homme qui se contentera de le reconnaître, sans jamais lui donner ce dont il a besoin ? Quand bien même il porterait votre nom, il ne manquera pas de gens, ici et à Londres, pour le traiter avec mépris. Je ne permettrai jamais que mon fils paie pour une faute que j'ai commise.

— Vos opinions sont sans fondement ! S'il est prouvé qu'Oliver est mon fils, nous rediscuterons de tout cela calmement. Pour l'instant, sachez que je ne renoncerai pas à ce test. Quoi que vous en pensiez.

Louise ne doutait pas qu'il dise vrai. Il trouverait une manière de se procurer l'échantillon de salive qui lui était nécessaire. Ne valait-il pas mieux qu'elle accepte de le lui fournir, plutôt que de le lui laisser obtenir par des moyens qui risqueraient de perturber Oliver ?

Lorsqu'elle reprit la parole, ce fut d'une voix qui trahissait ses réticences.

— Si j'accepte de vous fournir ce qu'il faut pour pratiquer le test, je veux votre parole qu'Oliver ne sera pas informé des résultats tant que je m'y refuserai. Et que vous ne chercherez pas à l'approcher sans mon autorisation, et hors de ma présence.

Caesar ne pouvait que reconnaître que Louise était une mère des plus protectrices.

— C'est d'accord, promit-il.

Après tout, il ne souhaitait en aucune façon porter préjudice à l'enfant.

Avant que Louise n'ait le temps d'émettre de nouvelles objections, il ajouta d'une voix douce :

— Je vous ferai apporter le matériel nécessaire dès que possible. Lorsque j'aurai les résultats…

— Vous ne voulez vraiment pas oublier ce que mon grand-père vous a écrit ?

En dépit de tout ce qu'elle s'était promis, Louise ne pouvait s'empêcher d'implorer.

Entendre le tremblement dans sa propre voix lui donnait presque la nausée.

— C'est tout à fait impossible, répondit Caesar d'un ton sans appel.

3.

— Si Billy a gagné, c'est seulement parce que son père était là. Il lui disait tout le temps ce qu'il devait faire.

Oliver avait perdu son match de tennis contre un autre enfant de l'hôtel, et il n'avait cessé de ronchonner depuis que Louise était allée le chercher au club.

Tous deux dînaient à présent en tête à tête au restaurant, et il recommençait à protester.

Elle ne pouvait s'empêcher de s'en vouloir pour le petit stratagème dont elle avait usé pour se procurer l'échantillon de salive nécessaire à la réalisation du test exigé par Caesar.

Prétendant qu'Oliver était un peu enroué, elle avait fait le prélèvement sous prétexte de s'assurer qu'il ne couvait pas une angine, comme cela lui arrivait fréquemment.

Pour sa part, elle n'avait pas le moindre doute quant à l'issue de cette recherche en paternité. Caesar était bel et bien le père d'Oliver. Elle le savait depuis toujours, mais aurait souhaité garder ce secret pour elle.

Comment son grand-père, qu'elle admirait et respectait tant, avait-il pu la trahir ainsi ?

Certes, il avait pensé agir pour le bien d'Oliver. Pour un homme de sa génération et de sa culture, il était impensable qu'un père n'assume pas ses responsabilités.

Cela dit, Caesar ne devait pas compter jouer le moindre rôle dans la vie d'Oliver, se répéta intérieurement Louise avec détermination.

D'ailleurs, qui pouvait imaginer qu'il puisse vouloir d'un fils dont il méprisait la mère ? Et elle ne permettrait pas que son fils passe après les enfants légitimes de Caesar, s'il en avait un jour.

Il était même surprenant, se dit-elle en fronçant les sourcils, qu'il n'ait pas déjà trouvé une épouse, et engendré un héritier.

Mais que lui importait ? Elle avait bien d'autres préoccupations, dont la plus essentielle était le bonheur de son fils.

Lorsqu'elle était allée chercher le garçonnet au club de tennis, elle n'avait pas manqué de remarquer qu'il faisait tout son possible pour attirer l'attention du père du fameux Billy. La colère et la frustration se lisaient sur son petit visage, et Louise avait senti son cœur de mère se serrer.

Comment ne pas revivre, à travers lui, la peur et l'humiliation qu'elle-même avait connues ?

Lorsque Billy et son père s'étaient éloignés, elle avait failli courir vers son fils pour essayer de le réconforter.

Mais ce n'était pas de la sollicitude d'une mère qu'il avait besoin. C'était d'un *homme* dont il attendait marques d'intérêt et affection.

Oliver tendit la main vers sa console de jeux, et Louise retint un soupir agacé.

— Pas avant la fin du repas, Ollie, dit-elle. Tu sais bien que c'est la règle.

— Mais, maman, tout le monde y joue ! Regarde, Billy et son père, ils sont en train de jouer ensemble.

Louise laissa échapper un grand soupir, et suivit des yeux la direction qu'indiquait son fils. A quelques tables de la leur, le père et le fils étaient penchés sur le même écran.

*
* *

Dans la longue galerie qui rassemblait les portraits des Falconari, Caesar contemplait son illustre famille.

Sur les murs s'alignaient les tableaux représentant tous les ducs, depuis les premiers détenteurs du titre, mais aussi leurs épouses, et les enfants qui avaient permis que le nom perdure.

Aucun des mâles du clan n'avait failli au devoir d'engendrer un fils pour porter le nom à sa suite. Le père de Caesar s'était même remarié sur le tard, pour assurer sa descendance, avec une jeune femme de sang bleu, issue d'une branche éloignée de la famille. Cette union avait donné naissance à Caesar.

Il n'était encore qu'un tout jeune enfant lorsque ses parents avaient perdu la vie dans un accident de bateau. Et, tout au long de son enfance, on lui avait répété qu'il lui incomberait de produire à son tour un héritier mâle, futur duc Falconari.

Il avait aujourd'hui trente et un ans. Parmi les chefs des villages alentour, et les anciens qui y demeuraient, le fait qu'il n'ait pas encore accompli son devoir devenait un sujet de préoccupation.

Mais qui aurait pu comprendre le dégoût qu'il avait conçu de lui-même après sa relation avec Louise ?

La crainte de perdre de nouveau le contrôle de ses émotions, comme cela lui était alors arrivé, l'avait conduit à une longue période de célibat.

Lorsqu'il s'était enfin résolu à mettre sa force de caractère à l'épreuve, c'était un nouveau choc qui l'attendait.

Même avec les plus ravissantes, et les plus sensuelles jeunes femmes, il s'était découvert tout à fait capable de maîtriser ses réactions.

Il avait tenté de s'en réjouir. De se dire qu'il ne voulait jamais éprouver de nouveau ce sentiment de ne plus avoir prise sur lui-même.

Il préférait ne plus connaître cette fusion des corps,

et des âmes, qui fait que deux êtres humains deviennent un tout indissociable.

Cependant, faire l'amour n'était plus désormais pour lui qu'une agréable distraction.

Jamais il n'y trouvait l'apaisement de ce tourment qu'il avait enfoui au tréfonds de lui-même.

Le retour sur l'île de Louise avait ravivé cette douleur, qui ne cessait de croître à chacune de leurs rencontres.

C'était à cause d'elle qu'il n'avait jamais pu se résoudre au mariage. Parce qu'il savait…

Qu'il savait quoi ? Que jamais une femme ne toucherait son âme comme elle l'avait fait ? Que, jamais, il n'éprouverait pour une autre le désir qu'il avait ressenti pour elle ?

Depuis six ans, il lui fallait aussi vivre avec l'idée qu'un cruel coup du destin le rendait incapable de procréer, et qu'il serait le dernier du nom.

C'est alors qu'était arrivée la lettre l'informant qu'il avait un fils. En cet instant, encore, Caesar ressentait l'émotion qui l'avait étreint à cette nouvelle.

De toutes ses forces, il désirait que le grand-père de Louise ait dit vrai.

Se pouvait-il que ce moment d'impétueuse passion, partagé avec la jeune fille d'alors, ait permis que la nature fasse son œuvre ?

Mais comment la convaincre, aujourd'hui, de lui laisser prendre la place qui lui revenait dans la vie de leur fils ?

Louise…

Caesar se rappelait leur rencontre comme si c'était hier.

Par ce chaud après-midi d'été, elle marchait seule sur la route conduisant au *castello*. Tête nue, ses formes sensuelles moulées dans des vêtements trop étroits, elle exprimait dans toute son attitude sa révolte bravache à l'égard de la morale archaïque qu'on voulait lui imposer.

Caesar s'était laissé dire qu'on l'avait vue danser sur la

place, boire de la bière au goulot, et pousser les garçons du village à défier l'autorité de leurs parents.

Dans son regard clair, il avait lu toute son intelligence et sa méfiance, lorsqu'elle l'avait hardiment planté dans le sien.

Caesar avait été à la fois amusé par son effronterie, et intrigué par sa personnalité. Personne n'osait le regarder ainsi en face, et surtout pas une jeune fille.

— Où allez-vous, comme cela ? avait-il questionné.

D'un mouvement de tête, Louise avait rejeté en arrière son épaisse crinière, teinte d'un noir de jais, avant de répondre qu'elle n'allait nulle part. De toute façon, avait-elle ajouté, il n'y avait rien à faire dans ce pays. Elle attendait avec impatience de retourner à Londres.

Malgré tout, Caesar n'avait pu ignorer l'effet qu'elle produisait sur lui. Avec l'impétuosité de ses vingt-deux ans, il était suffisamment à l'écoute des signaux que lui envoyait son corps de jeune homme. Et son corps lui disait sans détour qu'il désirait cette jeune fille.

Sauf qu'il était hors de question qu'il ait une aventure avec elle. A Londres, cela aurait peut-être été différent. Mais, ici, Louise faisait partie de la communauté dont il était responsable.

Malgré cela, il l'avait invitée à l'accompagner au *castello*, pour lui faire visiter la galerie de portraits.

Caesar se souvenait qu'elle avait accueilli sa proposition en rougissant. Soudain, elle lui avait paru si féminine, si fragile, qu'il avait éprouvé le besoin de la protéger.

— Il ne vous arrivera rien de mal, avait-il dit. Vous avez ma parole.

— La parole d'un *duca* ! Cela vaut bien plus que celle d'un simple mortel, n'est-ce pas ?

Caesar n'était pas habitué à être l'objet de boutades, et cela avait piqué son intérêt. Tout au long du chemin jusqu'au *castello*, il avait pris le plus grand plaisir à poursuivre avec Louise un aimable badinage, chargé de sous-entendus libertins.

Dans la galerie, elle avait sans peine repéré les portraits exécutés par des grands maîtres. Et Caesar s'était étonné qu'elle apprécie le portrait de lui qu'avait réalisé le peintre contemporain Lucian Freud, au style si controversé.

— Je suis persuadé qu'il déplaît à Aldo Barado, avait-elle ironisé.

Caesar avait été obligé d'acquiescer, tout en essayant de prendre la défense du vieil homme :

— Ce n'est pas un mauvais bougre, avait-il dit. Ses conseils et sa connaissance de la mentalité locale me sont très précieux.

— Est-ce à dire que vous accordez de la valeur à sa volonté de maintenir les habitants du village dans des traditions arriérées ? Surtout les femmes, d'ailleurs !

— Je ne voudrais pas blesser la fierté d'Aldo, mais cela ne m'empêche pas d'œuvrer pour qu'adviennent les changements qui me semblent indispensables.

A ce jour, encore, Caesar restait abasourdi de s'être confié aussi vite, et aussi facilement, à cette toute jeune fille, douée d'une empathie impressionnante pour son jeune âge.

Dès les premiers instants, il avait su comme une évidence inéluctable qu'ils seraient amants.

Etait-il tout aussi inéluctable qu'elle lui donne un enfant ?

Caesar sentit son cœur battre avec une telle force que sa cage thoracique en était douloureuse.

Appuyée à la rambarde du balcon sur lequel donnaient les deux chambres qu'elle avait louées, Louise tentait de se convaincre qu'elle ne devait son insomnie qu'à un coucher trop prématuré.

Dans le parc illuminé, qui s'étendait à ses pieds, des couples se promenaient au son d'une douce musique provenant de l'un des salons.

C'était là une chose qui ne lui arriverait jamais.

Comment aurait-elle pu prendre le risque de répéter les erreurs du passé et de redevenir cet être en mal d'affection qu'elle avait jadis été ?

De plus, il y avait maintenant Oliver. Jamais elle ne pourrait laisser entrer dans leur vie un homme qui finirait peut-être par les abandonner tous les deux.

Au-dessous, un groupe de jeunes gens passa en riant. Elle revit l'adolescente qu'elle était lors de ce séjour de vacances en Sicile.

Revivant par la pensée l'humiliation publique qu'elle avait subie, elle sentit la douloureuse morsure de souvenirs qu'elle aurait préféré oublier.

Il y avait des blessures qui restaient à vif, même quand on les croyait cicatrisées.

Cela s'était passé à peu près à la moitié de leurs vacances. Depuis trois jours, son père se refusait à lui adresser la parole. C'était sa manière de lui signifier combien il avait honte d'elle — de son apparence, tout autant que de sa conduite.

C'était alors, par un étouffant après-midi d'été, qu'elle avait croisé la route de Caesar.

Ce jour-là, elle fuyait le village pour échapper à Pietro Barado, dont les avances devenaient de plus en plus importunes.

Malgré les dires du jeune villageois, elle n'avait rien fait pour l'encourager. En tout cas, pas selon ses propres critères. Certes, elle appréciait d'être au centre des préoccupations des garçons du village. Face aux jeunes villageoises, qui vivaient en recluses, Louise se croyait très mûre, très délurée. Cependant, jamais au grand jamais, elle n'avait prodigué à Pietro les encouragements dont il l'accusait.

Il n'était pas exagéré de dire que sa rencontre avec Caesar avait changé le cours de sa vie. Pour autant, elle n'avait pas imaginé une seule seconde à quel point cela allait se révéler vrai, lorsqu'elle avait accepté son invitation à le suivre au *castello*.

Les jours passants, elle avait fini par se rendre compte que les liens qui s'étaient tissés entre elle et le jeune duc avaient bien plus d'importance à ses yeux que l'intérêt que pourrait lui accorder son père.

Faire machine arrière lui était alors devenu impossible. Elle était amoureuse de Caesar.

Chaque fois qu'il descendait au village, elle s'arrangeait pour être présente. La plupart du temps, c'était au bar qu'il venait passer un moment. Louise buvait chacune de ses paroles, tout en s'efforçant d'écarter Pietro. Ce manège n'avait pas échappé aux camarades du fils du maire. Ils s'étaient gaussés de lui, en lui faisant remarquer qu'il avait été supplanté par leur *Duca* dans l'affection de la jeune fille.

Pietro avait reporté sa colère sur elle.

— Faut-il que tu sois bête ! lui avait-il lancé. Comment un duc pourrait-il s'intéresser à toi ?

Bien sûr, Louise ne cessait de se poser cette question. Mais l'entendre proférer par un autre avait piqué son orgueil à vif.

Elle s'était mis en tête de prouver au garçon — ainsi qu'à tous —qu'il avait tort.

Avec une détermination farouche, elle avait continué à provoquer les rencontres « accidentelles » avec Caesar.

Par exemple, elle déambulait autour du *castello*, les yeux levés vers les fenêtres qu'il lui avait dit être celles de ses appartements privés. Il n'était pas rare que sa persévérance soit récompensée par une brève apparition.

Leurs promenades, et leurs conversations, lui étaient devenues précieuses. Lui, au moins, ne se moquait pas d'elle, contrairement à tous les autres.

Jeune, et vulnérable comme elle l'était, Louise n'avait pas tardé à échafauder des contes de fées, dans lesquels Caesar lui rendait son amour et faisait d'elle une duchesse. Ce mariage, imaginait-elle, la hissait sur un piédestal d'où elle rayonnait de bonheur, et pouvait se réjouir enfin de l'approbation de son père.

Hélas, et en dépit des longs moments qu'ils passaient ensemble, Caesar ne semblait pas disposé à pousser plus loin la relation. Au lieu de répondre à ses muettes sollicitations, il se montrait très réservé.

Malgré cela, un jour où il l'avait trouvée au bar en compagnie de Pietro, il était entré dans une colère épouvantable. Incident que Louise avait interprété comme une manifestation évidente de jalousie.

Lorsque, plus tard, elle l'avait moqué à ce sujet, Caesar s'en était défendu :

— C'est votre réputation dont je me soucie, avait-il dit. Votre comportement finira par lui être fatal.

— Et Pietro ? avait-elle objecté. Pourquoi sa réputation n'est-elle pas autant en danger que la mienne ?

— Les choses sont différentes lorsqu'il s'agit d'un garçon. En tout cas, c'est ainsi que ça se passe dans cette région du monde.

— Eh bien, c'est injuste !

Comme elle avait été naïve, comprenait-elle aujourd'hui, d'avoir cru Caesar aussi amoureux qu'elle l'était elle-même ! C'était presque risible. Elle avait ignoré les barrières qui se dressaient entre eux, persuadée que seuls comptaient leurs sentiments.

Et cela, alors même que Caesar n'avait à aucun moment envoyé de signaux dans ce sens.

La nuit au cours de laquelle Oliver avait été conçu, Louise s'était rendue au *castello* dans le désir irraisonné de revoir Caesar après les quelques jours qu'il avait passés loin du village pour affaires.

Rien n'aurait pu la retenir, tant sa conviction était

grande qu'ils étaient destinés l'un à l'autre, tels des Roméo et Juliette modernes. Profitant de la nuit tombée, elle s'était glissée à l'intérieur du château par la porte laissée ouverte de la cuisine, puis avait gagné à pas de loup la chambre du jeune homme.

Elle revoyait la surprise sur son visage, lorsqu'il s'était détourné de l'ordinateur sur lequel il travaillait, et avait découvert son intrusion. D'un bond, il s'était mis debout, pour mieux la repousser alors qu'elle faisait mine de se jeter à son cou.

— Louise, que faites-vous là ? avait-il questionné d'un ton brusque. Vous n'avez rien à faire dans cette pièce.

Un amoureux transi n'aurait certainement pas réagi de la sorte.

Cependant, Louise était à ce point dominée par ses propres émotions qu'elle n'avait pas prêté garde à ce que signifiaient de tels propos.

Caesar l'aimait et la désirait. Cela ne faisait pas le moindre doute. Elle allait lui montrer que ce qu'elle éprouvait pour lui était tout aussi fort. Comme elle, il n'attendait que le moment de pousser plus loin leur relation, Louise en était certaine. Prendre l'initiative lui donnait le sentiment enivrant de n'être plus une enfant, mais une jeune femme assez mature pour prendre en main son destin.

— Il *fallait* que je vienne, avait-elle déclaré. J'avais tellement envie de vous voir. Je vous désire tant !

Tout en parlant, elle avait commencé à se dévêtir. C'était ce qu'elle avait vu faire à une actrice dans un film.

En quelques mouvements, elle avait laissé tomber à ses pieds sa veste en jean et sa petite robe de coton. Ayant pris la précaution de remplacer ses brodequins habituels par de légères sandales, elle n'avait pas tardé à se retrouver en sous-vêtements. Elle était sur le point de dégrafer son soutien-gorge quand elle avait suspendu son geste.

— Non, c'est à vous de le faire, Caesar, avait-elle imploré d'une voix rauque, avant de se jeter contre lui.

Quelle merveilleuse surprise cela avait été de se sentir à ce point en sécurité dans ses bras ! C'était tout à la fois rassurant et excitant.

Posant sur sa joue un baiser maladroit, elle avait été ravie de sentir sa barbe naissante sous ses lèvres. Comme il était viril ! Comme il lui paraissait exotique, et presque dangereux… N'était-ce pas un paradoxe qu'elle se sente parfaitement en sécurité auprès de lui ? Mais c'était parce qu'il lui appartenait. Parce qu'il l'aimait.

C'était dans cet espoir fou qu'elle avait trouvé la force de murmurer :

— Embrassez-moi, Caesar. Tout de suite !

Puis elle avait noué les bras autour de son cou, et tendu les lèvres vers lui.

Caesar avait essayé de s'écarter, de l'éloigner.

— C'est impossible, Louise, avait-il protesté. Vous le savez aussi bien que moi.

Mais Louise était sourde à tout argument, aussi sensé fût-il.

Sans vouloir l'écouter, elle l'avait embrassé de nouveau. Et, tandis qu'il luttait pour se dégager de son étreinte, ils avaient basculé sur le lit.

C'était alors que Louise avait senti contre son ventre la preuve indéniable du désir qu'éprouvait Caesar.

Elle avait frémi et s'était pressée contre lui, se refusant à prêter l'oreille à ses protestations, pendant qu'il s'obstinait à répéter :

— Non, Louise, non ! C'est impossible !

Louise fixa l'obscurité du jardin.

Aujourd'hui, elle savait qu'un homme peut se révéler incapable de maîtriser les réactions de son corps s'il y est provoqué, sans pour autant éprouver la moindre tendresse.

Lorsqu'il l'avait agrippée par les poignets, et fermement maintenue sous lui, elle avait perdu toute raison. Plus rien n'avait d'importance que ce besoin inassouvi qui la faisait trembler et gémir contre Caesar. Trop jeune, et trop inexpérimentée pour maîtriser sa libido, elle avait abandonné toute prudence.

Comme si des vannes s'étaient d'un seul coup ouvertes, elle avait été emportée par le torrent furieux de ses impulsions, bredouillant des mots sans suite.

Elle l'aimait, le désirait, était folle de lui…

Cramponnée à ses épaules, elle avait couvert son visage et son cou de baisers éperdus…

Ce soir, en se remémorant ces instants, elle tremblait de nouveau. Mais ce n'était que parce que l'air du soir était un peu vif, se dit-elle.

Un instant, elle fut tentée de battre en retraite dans la douceur feutrée de sa chambre et de passer dans celle d'Oliver l'écouter respirer. Si seulement elle avait pu ainsi se rassurer et échapper aux souvenirs de cette nuit de folie !

Elle voulait oublier les sensations qui l'avaient submergée, alors qu'elle était nue dans les bras de Caesar, dans la chaleur de la nuit sicilienne.

Oublier les soupirs éperdus de deux êtres emportés par la passion.

Mais l'on ne pouvait effacer le passé.

Et Ollie n'était-il pas la preuve vivante qu'elle avait été la maîtresse de Caesar ?

Dans sa chambre, cette nuit-là, par la fenêtre ouverte, elle avait aperçu, se détachant sur le ciel étoilé, les versants de l'Etna. Et le feu qui se propageait dans ses veines n'était pas moins violent que la lave qui s'échappait du volcan.

Sentir la virilité arrogante de Caesar plaquée contre son bas-ventre était à la fois une expérience nouvelle pour Louise, et une sensation qu'il lui semblait avoir éprouvée dans sa chair depuis toujours.

Quant à ses baisers exigeants, comme jamais elle n'en avait connu, ils étaient empreints d'une magie ensorcelante à laquelle elle était incapable de résister.

Dans cette chambre obscure, imprégnée du parfum de Caesar, Louise était devenue femme, dans l'émerveillement de son corps comblé.

Il ne servait à rien de se mentir. Le plaisir qu'elle avait ressenti dans les bras de Caesar n'était pas simplement provoqué par la satisfaction de l'avoir fait céder. Cela venait de bien plus loin : du tréfonds d'elle-même. De ce qui faisait durcir ses tétons au contact du duvet sombre qui couvrait le torse de Caesar. De ce qui faisait naître cette douce moiteur au cœur de sa féminité... Elle désirait Caesar, et le besoin qu'il réponde à ce désir était aussi impérieux que la nécessité de respirer.

Ce n'était pas non plus le vin qu'elle avait bu ce soir-là qui avait fait tomber ses inhibitions, comme elle avait essayé de s'en persuader. Non, c'était comme si un instinct venu du fond des âges l'avait poussée dans les bras du mâle le plus viril et le plus puissant de la tribu ; celui dont les gènes seraient le mieux à même de lui donner de beaux enfants.

Bien sûr, ce n'était pas ainsi qu'elle avait analysé ses réactions à l'époque. Tout ce qu'elle avait pensé, c'était qu'être dans les bras de Caesar, savoir qu'il voulait bien d'elle, comblait toutes ses attentes, et était la preuve irréfutable qu'elle était digne d'être aimée.

Elle n'avait pas eu la moindre réticence lorsque Caesar l'avait incitée à lui prodiguer les caresses les plus intimes, en prenant sa main pour la poser sur son érection.

Cette évocation fit tambouriner son cœur dans sa poitrine. Son corps revivait intensément les émotions de cet instant.

Comment était-ce possible, alors qu'elle avait enfoui ces souvenirs au plus profond de sa mémoire ?

Etait-ce le simple fait de se retrouver en Sicile qui faisait remonter tout cela à la surface ? Peut-être aussi la découverte de ce qu'avait fait son grand-père et la perspective des inquiétantes conséquences de son acte lui mettaient-elles les nerfs à fleur de peau ?

Louise s'efforça de penser à autre chose, mais en vain. Son esprit lui obéissait aussi peu que son corps ne l'avait fait, ce fameux soir.

Elle n'avait rien oublié des sensations qu'elle avait éprouvées.

Lorsqu'elle avait refermé sa main sur le sexe durci de Caesar, son cœur s'était emballé, avant de calquer son rythme sur les pulsations qui vibraient sous sa paume.

Quand il avait écarté les pétales de sa fleur secrète, elle les avait sentis humides d'excitation sous ses longs doigts. La surprise et l'émerveillement avaient écarquillé ses yeux, et son corps s'était tendu avant de se laisser aller dans les frissons du prodigieux orgasme où l'avaient conduite ses caresses expertes.

Comme elle était innocente, en ce temps-là !

Du haut de ses dix-huit printemps, elle ignorait tout de la sexualité. Elle s'était abandonnée, bouleversée d'être ainsi emportée dans un grisant tourbillon. Cramponnée à Caesar, elle avait crié son prénom, au moment où elle atteignait les cimes vertigineuses du plaisir.

Tout son corps vibrait encore lorsque Caesar l'avait pénétrée. Jamais elle n'aurait cru répondre avec une telle ardeur à ses fougueux assauts.

Elle avait planté ses ongles dans sa chair, tout en accompagnant du bassin chacune de ses poussées, enserrant son membre de toutes ses forces comme pour le retenir plus longtemps, jusqu'à ce qu'un spasme encore plus puissant ne la projette au septième ciel.

Epuisée, pantelante, elle s'était lovée dans les bras de Caesar, le cœur débordant d'amour et de tendresse.

Fallait-il qu'elle ait été stupide pour imaginer qu'il éprouvait les mêmes sentiments ?

Tout ça parce qu'il l'avait gardée tout contre lui, jusqu'à ce que tous deux reprennent leurs esprits.

Elle était fermement décidée à ne pas passer la nuit au *castello*. Si l'on se rendait compte qu'elle n'avait pas dormi dans son lit, il ne manquerait pas de pourfendeurs pour mettre à mal ce qui venait de se passer entre elle et Caesar.

Or, c'était bien trop précieux, trop intime, pour qu'elle tolère les malveillances de tous ceux qui n'y comprendraient rien. De plus, elle tenait à ce que ce soit Caesar lui-même qui annonce la nouvelle à ses parents.

Car il allait la demander en mariage ; de cela, elle était persuadée.

Elle s'était imaginée, tendrement enlacée par Caesar, tandis qu'il déclarait son amour devant son père médusé.

— Il faut que j'y aille, avait-elle fini par murmurer.

— Oui. Cela vaut mieux…

Il l'avait raccompagnée jusqu'à la route. Aujourd'hui, elle comprenait avec amertume qu'il avait juste voulu s'assurer qu'elle prenait bien le chemin du retour.

Elle n'avait pensé qu'à lui, tout en regagnant la villa louée par sa famille. Pour la première fois de sa vie, un autre que son père occupait entièrement son esprit. Pour la première fois de sa vie, elle comptait plus que tout au monde pour quelqu'un, avait-elle cru. Tous ses rêves s'étaient réalisés. Caesar l'aimait. Cette nuit en était la preuve irréfutable.

Hélas, les choses ne s'étaient pas déroulées comme elle l'espérait.

*
* *

Le lendemain, Caesar ne s'était pas manifesté. Pas plus que les jours suivants. Pas un mot. Rien. Puis, elle avait appris qu'il avait pris l'avion pour Rome où ses affaires le retiendraient plus d'un mois.

Tout d'abord, elle n'y avait pas cru. Ce ne pouvait être qu'une erreur, avait-elle pensé.

Pourquoi Caesar n'était-il pas venu l'informer de ce voyage impromptu ? Pourquoi n'avait-il pas parlé à son père, et révélé au grand jour leur relation ? Pourquoi ne lui avait-il pas au moins laissé un message ?

Folle d'inquiétude et de chagrin, Louise avait entrepris de persuader ses grands-parents de prolonger leur séjour sur l'île, car elle ne pouvait envisager de ne pas le revoir.

C'était alors que lui avait été révélée, de la plus cruelle et la plus insultante façon, la véritable nature des sentiments que Caesar entretenait à son égard.

Le grand-père de Louise était entré en contact avec le propriétaire de la villa pour demander prolongation de leur bail, et la nouvelle s'était vite répandue dans le village. Avant même qu'une réponse ne leur soit donnée, ils avaient eu la visite d'Aldo Barado. Ce dernier n'avait pas mâché ses mots : personne ne souhaitait les voir prolonger leur séjour ; bien au contraire, il leur était vivement conseillé de débarrasser le plancher au plus vite, tant l'attitude de Louise était objet de scandale.

Il s'en était même pris avec colère à son père :

— Aucun père digne de ce nom, dans toute la Sicile, avait-il tonné, ne tolérerait que sa fille se comporte comme la vôtre. C'est sur tout le village qu'elle attire le déshonneur. Mais, avant tout, c'est sur vous-même. Vous avez failli à tous vos devoirs, en la laissant se jeter à la tête de tous les garçons des environs. J'imagine qu'elle s'attendait à se faire épouser par l'un de ces pauvres diables !

Puis, il s'était tourné vers Louise, qui ne pourrait jamais oublier la dureté de son regard plein de colère. Le dos tourné à toute sa famille, il l'avait tancée :

— Vous n'avez plus rien à faire dans ce village ! Vous ne faites plus partie de cette communauté. Fort heureusement, ceux que vous avez poursuivis de vos assiduités ont eu la sagesse d'écouter mes conseils.

Hébétée, ne comprenant rien à ce qui lui arrivait, Louise l'avait rattrapé tandis qu'il rebroussait chemin. Lorsqu'elle l'avait agrippé par la manche, il s'était dégagé d'un geste brusque, comme si elle était contagieuse. Elle n'en avait pas tenu compte.

— Caesar ne permettrait pas que vous me traitiez comme cela, avait-elle lancé. Il m'aime !

— Notre *Duca* est parti pour Rome. Il y demeurera jusqu'à ce que vous ayez quitté la Sicile. C'est le conseil que je lui ai donné, après qu'il m'a avoué sa folie. Quant à son amour… Comment pouvez-vous imaginer qu'un homme de son rang puisse décemment être amoureux de vous ?

Sous le choc, Louise n'avait pu que bafouiller :

— Il… il vous a … raconté ?

— Bien sûr, qu'il m'a tout raconté !

Sur ces mots, il avait tourné les talons, la laissant bouche bée.

Comme d'habitude, son père s'était emporté. Il n'aimait pas beaucoup que qui que ce soit le critique. Arpentant la terrasse dallée à grandes enjambées, il avait donné libre cours à sa fureur. Encore une fois, avait-il tempêté, Louise faisait la preuve qu'elle n'était pas digne d'être sa fille.

Mais ce qui avait le plus affecté Louise, c'était le regard plein de tristesse que ses grands-parents avaient posé sur elle…

Revenant à l'instant présent, elle se lamenta intérieurement d'avoir été obligée de remettre les pieds dans ce village.

Malgré tout, elle se devait bien de faire respecter leurs dernières volontés. Quoi qu'il puisse lui en coûter, et même si elle ne pouvait s'empêcher d'en vouloir à son grand-père pour cette lettre.

Malgré la douceur de la nuit, elle serra les bras autour de son buste, comme pour se réchauffer. Mais c'était au plus profond d'elle-même qu'elle était glacée. Glacée par la terreur que lui inspirait l'idée que Caesar avait désormais prise sur elle.

Une nouvelle fois, ses pensées la ramenèrent aux événements de ce funeste été…

Après la visite du chef du village, son père et Melinda ne lui avaient plus adressé le moindre mot. C'était comme si sa vue même leur était devenue insupportable. Seuls ses grands-parents, pour aussi choqués et peinés qu'ils soient, avaient continué de lui parler.

Quant à ce qu'elle-même éprouvait, c'était une indicible tristesse. Car elle ne pouvait plus ignorer qu'elle s'était bercée d'illusions.

Le voyage de retour jusqu'à l'aéroport avait été un vrai cauchemar. Lorsqu'ils avaient traversé le village en voiture, les passants s'étaient ostensiblement détournés. Quelques gamins leur avaient même lancé des pierres. Ce n'était pas la colère de son père qui avait alors atteint Louise, mais plutôt les larmes qu'elle avait vues briller dans les yeux de son grand-père.

Mais la jeune fille de dix-huit ans était loin désormais.

Aujourd'hui, elle avait presque vingt-huit ans, et elle faisait autorité dans sa profession. Chaque jour, elle traitait les cas de gens qui avaient eu à vivre des choses bien plus graves qu'elle.

Quant aux problèmes qu'elle avait traversés, elle n'en portait pas l'entière responsabilité. D'autres qu'elle-même avaient contribué à les provoquer et elle ne devait pas l'oublier.

A présent, il était de son devoir de tout faire pour assurer le bien-être d'Oliver.

Par le passé, Caesar n'avait pas voulu d'elle et voilà que, maintenant, il réclamait son fils.

Cette pensée la terrifiait.

Jamais elle ne permettrait à quiconque — et encore moins à Caesar —de faire subir à Oliver les souffrances qu'elle avait connues.

Malheureusement, elle avait besoin de l'accord de Caesar pour réaliser le vœu de ses grands-parents.

S'il lui fallait pour cela accepter que son fils soit l'objet d'un test ADN, elle se soumettrait.

Mais elle ne renoncerait pas pour autant à lutter pour son enfant.

4.

Caesar se devait d'admettre que son titre et sa position lui ouvraient bien des portes.

Le responsable du club pour enfants de l'hôtel ne s'était nullement fait prier pour l'escorter jusqu'au court de tennis où Oliver venait de terminer un match.

Penché sur sa console de jeux, il ne leva qu'un instant la tête lorsque l'ombre de Caesar vint obscurcir son écran. Une lueur suspicieuse passa dans son regard à l'approche d'un parfait étranger.

Son teint basané et la masse de ses boucles de jais ne laissaient aucun doute sur ses origines siciliennes, et il suffisait de le regarder pour retrouver en lui les traits des Falconari.

De plus, les résultats du test ADN étaient irrécusables : Oliver était son fils.

L'enfant avait repris son jeu et, en le contemplant, Caesar fut soudain ébranlé par la force du lien qui l'unissait à lui. C'était quelque chose de si fort qu'il avait presque l'impression d'être relié au petit garçon par une véritable corde. Il n'avait plus qu'un désir : prendre l'enfant dans ses bras et montrer ainsi à tous qu'il lui appartenait.

Confondu par l'intensité de ses émotions inattendues, il demeura pétrifié.

Bien sûr, ce que signifiait pour le *Duca di Falconari* de découvrir qu'il avait un héritier était évident. Mais ce qu'il éprouvait en cet instant avait une tout autre dimension.

Fort heureusement, grâce à sa fréquentation régulière des enfants de sa cousine, la relation avec un garçon de l'âge d'Oliver ne présentait aucun secret pour lui. Aussi se contenta-t-il de remarquer :

— Tu as fait un beau match.

— Tu m'as regardé jouer ?

Toute méfiance avait disparu du regard de l'enfant, pour être remplacée par un ravissement sans bornes.

Les propos tenus par son arrière-grand-père, dans sa lettre, s'éclairaient.

« Le petit a besoin de la présence de son père. Louise est une bonne mère — elle l'aime, et le protège de son mieux —mais les difficultés qu'elle a connues avec son propre père semblent peser de tout leur poids sur Oliver. Il a besoin de la tendresse attentive de son père. Je perçois, chez lui, ce même besoin qui taraudait sa mère lorsqu'elle était enfant. Vous êtes son père. Je ne doute pas que votre sens de l'honneur vous pousse à respecter les devoirs que vous avez envers lui.

» Il ne s'agit pas d'argent. Louise gagne très bien sa vie et je suis certain qu'elle refusera tout soutien financier de votre part… »

A en juger par ce qu'il découvrait de Louise, depuis leurs retrouvailles, Caesar craignait même que la jeune femme refuse tout soutien quel qu'il soit, pour peu qu'il vienne de lui.

Il se souvenait du soulagement éprouvé, à son retour de Rome, lorsqu'il avait été mis au courant de son départ.

Mais il n'oubliait pas, non plus, la blessure infligée à son amour-propre par Aldo Barado, lorsque ce dernier était venu lui dire qu'il avait vu la jeune fille quitter le *castello* en pleine nuit.

Au coup frappé à sa porte, il avait cru que c'était Louise qui revenait. Un instant, il avait caressé l'espoir de se faire pardonner la perte de contrôle qu'il se reprochait déjà amèrement.

Sa confusion avait atteint son comble quand le chef du village l'avait sermonné, déclarant qu'il avait tout compris de son inconduite. Si Caesar voulait être digne du nom qu'il portait, avait-il dit, il ne pouvait rien avoir à faire avec une fille comme Louise.

Caesar s'était retrouvé déchiré entre son désir, et la conscience des coutumes qui régissaient la vie des siens.

Il savait fort bien qu'il lui était impossible de céder aux pulsions qui le poussaient vers Louise.

Comme autrefois — lorsqu'il était parvenu à dissimuler son chagrin lors de la mort de ses parents —il lui fallait à tout prix dominer ses émotions. Il eût été inconvenant pour un Falconari de s'y soumettre.

En l'occurrence, quitter l'île jusqu'à ce qu'il soit certain de pouvoir se contrôler lui était apparu comme la meilleure des solutions.

Il ne servait à rien, aujourd'hui, de se demander si la fuite était une attitude digne d'un Falconari.

Il était vain, aussi, de ressasser le souvenir des souffrances qui l'avaient assailli pendant son séjour à Rome. Les nuits sans sommeil, le désir obsédant de retrouver Louise… Preuve, s'il en était besoin, qu'elle lui faisait perdre la tête.

Ce que n'avait fait que confirmer la lettre qu'il lui avait écrite pour implorer son pardon.

Dire qu'elle n'avait jamais répondu à cette missive, alors même qu'elle devait se savoir enceinte au moment où elle l'avait reçue !

Les yeux d'Oliver avaient exactement la même forme, et la même couleur que les siens, constata-t-il, le cœur battant.

— Tu aimes la Sicile ?

— C'est mieux que l'Angleterre. Il fait plus chaud. J'aime pas avoir froid. Mes arrière-grands-parents étaient siciliens. Ma mère a apporté leurs cendres pour les enterrer ici.

Caesar hocha la tête.

Un enfant du même âge qu'Oliver se dirigeait vers eux, une raquette à la main, accompagné par un homme dont Caesar devina qu'il était son père.

— Bonjour, Oliver, dit ce dernier en souriant. Je vois que ton papa est arrivé.

Caesar s'attendait à ce qu'Oliver le contredise, mais il n'en fit rien. Bien au contraire, il se rapprocha de lui de manière à ce qu'il puisse poser la main sur son épaule, comme le faisait le père de l'autre garçon.

A travers le T-shirt, Caesar sentit la fine ossature de l'enfant, à la fragilité infiniment précieuse.

Ainsi, pensa-t-il, c'était donc *cela*, avoir un fils…

Ce fut dans cette posture que Louise les surprit. Son cœur s'accéléra, au même rythme que ses pas qui la portaient vers son enfant.

A son approche, Caesar et Oliver se tournèrent vers elle. La vision du père et du fils, côte à côte, la pétrifia sur place. La ressemblance était criante. Mais ce qui lui fit encore plus mal fut de voir la manière dont Oliver se serra contre Caesar, quand elle le prit par le bras pour l'attirer à elle.

Sans lâcher Oliver, Caesar referma son autre main sur la sienne. Aussitôt, une chaleur intense se propagea dans ses veines, comme une traînée incandescente.

Pourquoi réagissait-elle avec une telle violence à ce contact ? Tremblait-elle uniquement pour son fils ?

Non, ce n'était pas seulement l'instinct maternel qui la mettait en émoi dans son âme, mais un tout autre sentiment, à la fois importun et familier.

C'était comme un éclair déchirant tout à coup le ciel, et jetant sa lumière aveuglante sur tout ce qu'elle s'était obstinée à garder dans l'ombre. Soudain, Louise sentait que sautaient les verrous qui maintenaient fermées les portes derrière lesquelles elle avait confiné ses souvenirs les plus dérangeants.

Un frisson d'horreur et de dégoût la parcourut. Comment pouvait-elle être à ce point troublée par Caesar ?

Ne l'avait-il pas couverte d'opprobre, traitée avec le plus complet mépris ?

Elle essaya de dégager sa main de celle de Caesar, mais il l'en empêcha, la contraignant à demeurer dans ce cercle étroit qu'ils formaient tous les trois.

— J'allais venir vous chercher, déclara Caesar. Nous avons à discuter de plusieurs choses.

— La seule chose dont je souhaite m'entretenir avec vous est l'inhumation des cendres de mes grands-parents.

— Tu viendras me voir jouer au tennis, demain ? intervint Oliver d'un air détaché, en levant les yeux vers Caesar.

Comme il était prêt à tomber sous sa coupe ! se désola intérieurement Louise.

La panique s'empara d'elle. Il leur fallait quitter l'île au plus tôt. Elle pouvait très bien confier les cendres au prêtre du village et régler tous les détails pratiques depuis Londres. Là-bas, elle et son fils seraient en sécurité.

De toute façon, il était impensable que Caesar ait l'intention de jouer un rôle dans la vie d'Oliver. Certes, il n'avait pas encore d'enfant légitime, mais il ne tarderait certainement pas à se marier et à donner un héritier mâle aux Falconari.

Cette certitude aurait dû rassurer Louise. Néanmoins, son cœur continuait à battre la chamade et toutes ses terminaisons nerveuses étaient en alerte. Même lorsqu'elle finit par arracher sa main à celle de Caesar, les fourmillements qui parcouraient tout son corps ne cessèrent pas. Les sensations que son contact avait fait naître en elle demeuraient douloureusement intenses.

Mais que pouvait-elle éprouver d'autre que de la colère… et du dégoût ? songea-t-elle pour se rassurer.

Comment pourrait-il en être autrement après ce qu'il lui avait fait subir ?

— Si Oliver est prêt à se joindre à nous, l'atelier photographie va commencer.

La jeune responsable des activités pour les petits pensionnaires de l'hôtel se dirigeait vers eux avec un grand sourire destiné à Caesar.

Avec tristesse, Louise constata qu'Oliver semblait peu enclin à s'éloigner de son nouvel ami. Lorsqu'elle le prit aux épaules pour le pousser vers la jeune femme, il tourna dans sa direction un regard mauvais et chercha à lui échapper.

Caesar ne lui laissa pas le temps de réagir.

— Ce n'est pas très gentil de se comporter ainsi avec sa maman, dit-il calmement.

Cette remarque sembla avoir bien plus d'effet sur son fils que toutes les remontrances qu'elle pouvait lui faire, constata Louise en voyant son expression déconfite. Mais pour autant qu'elle désapprouve ses mouvements d'humeur, elle n'avait pas l'intention de s'en remettre à Caesar pour faire son éducation.

— Qui vous a permis de réprimander Oliver ? lança-t-elle, dès que l'enfant et son accompagnatrice furent hors de portée de voix. Je vous rappelle que c'est *mon* fils !

— Et c'est aussi le mien. Je viens de recevoir les résultats du test. Ils sont incontestables.

Louise eut l'impression que son cœur faisait un bond dans sa poitrine. Le sang battit violemment à ses tempes. A son grand désespoir surgirent devant ses yeux hagards des visions de ces moments d'intimité qu'elle et Caesar avaient jadis partagés…

Soudain, les émotions qu'elle avait ressenties alors — le désir, la fièvre, le besoin de se sentir aimée, à un point tel qu'elle avait fini par se persuader l'être —affluaient de nouveau à sa mémoire.

Comme un coup de poignard, la souffrance la transperça,

aussi impitoyable que l'été de ses dix-huit ans. Certes, elle ne pouvait se voiler la face : elle avait été, en grande partie, l'artisan de sa propre infortune. Cependant, Caesar aurait pu la traiter avec moins de dureté. Quoi qu'il en soit, il était le père d'Oliver, et même si elle aurait voulu pouvoir se dire que cela n'avait aucune importance, son éducation sicilienne le lui interdisait.

— Inutile de me dire qui est le père d'Oliver, dit-elle d'un ton acerbe. Je le sais très bien.

Caesar ne put s'empêcher de penser qu'elle avait tout d'une chatte crachant et sifflant sa colère pour protéger ses petits. Ronronnerait-elle de plaisir, si on la caressait ?

Cette pensée lui avait traversé l'esprit sans qu'il y prenne garde, et le choc fut grand de constater l'émoi que cela faisait naître en lui. Soudain, resurgissaient des désirs et des besoins qu'il avait cru annihiler à jamais par la seule force de sa volonté.

— Nous avons de nombreuses questions à aborder ensemble, déclara-t-il. Nous serions plus tranquilles pour cela si vous veniez au *castello*. J'ai pris toutes les dispositions pour que la monitrice du club pour enfants s'occupe d'Oliver en votre absence.

Le *castello* ! Le lieu où Oliver avait été conçu ! Louise avait toutes les peines du monde à envisager de s'y retrouver. Certes, il n'était pas question qu'elle pénètre dans la chambre de Caesar, cette fois. D'ailleurs, elle n'aurait voulu cela pour rien au monde. Le prix qu'elle avait payé pour s'y être risquée autrefois avait été bien trop lourd.

— Je ne…

Caesar ne lui laissa pas le temps de poursuivre. D'une main ferme, il l'avait prise par le bras et l'entraînait en direction du hall de l'hôtel.

A l'extérieur, une longue limousine noire les attendait. Le chauffeur se précipita pour leur en tenir ouverte la portière arrière.

*
* *

Vingt minutes plus tard, la voiture s'engageait dans les superbes jardins qui entouraient la demeure ancestrale des Falconari. A voir les lieux, on ne pouvait douter de l'immense fortune de la famille. Le blason, au-dessus de l'entrée, arborait fièrement l'oiseau de proie qui était leur emblème. On le retrouvait dans les sculptures ornementales qui décoraient la façade, tel un sceau attestant que le domaine leur appartenait.

Louise frissonna en repensant à la scène qu'elle avait surprise, lorsqu'elle avait retrouvé son fils en compagnie de Caesar. La façon dont ce dernier posait la main sur l'épaule d'Oliver et le regard que celui-ci levait vers lui avaient réveillé chez elle une blessure datant de sa propre enfance. Une blessure que rien n'était parvenu à guérir.

Elle avait beau s'en défendre, elle savait d'instinct que Caesar ne négligerait jamais un enfant de son sang. En bon Sicilien, et en digne héritier du titre et du nom qui étaient les siens, il était tenu par l'honneur à respecter son devoir de père.

Louise se refusait à imaginer ce que cela pouvait signifier. Oliver était le fils qu'elle avait porté en son sein, puis élevé seule. Elle était prête à tout pour le protéger. Ce qu'elle avait vu dans son regard tourné vers son père n'était pas sans lui rappeler l'innocence avec laquelle elle s'était donnée à ce dernier. Elle ne permettrait pas à Caesar de faire subir à leur enfant les mêmes souffrances qu'il lui avait infligées en la rayant de sa vie.

La limousine vint s'arrêter devant les marches en marbre du perron majestueux menant à la porte d'entrée.

Avec le savoir-vivre qui le caractérisait, Caesar fit le tour de la voiture pour lui ouvrir la portière.

Les bonnes manières étaient une chose, pensa Louise, cependant elles ne garantissaient nullement que l'on possède les qualités humaines pour être un bon père.

Son cœur se serra. Pourquoi se souciait-elle de cela ?

Ce n'était pas comme si elle était disposée à laisser Caesar occuper cette place auprès d'Oliver.

Malgré tout, elle pouvait difficilement oublier la façon dont l'enfant s'était comporté avec celui dont il ignorait encore la véritable identité.

Le grand hall du *castello* était d'une imposante solennité, avec ses niches creusées dans les murs pour accueillir une collection de statues, et l'escalier monumental qui s'élevait vers les étages.

— Par ici, indiqua Caesar en désignant une double porte, dont Louise se souvenait qu'elle ouvrait sur une enfilade de pièces aux ornements et au mobilier incomparables.

A l'extrémité d'un long corridor, un passage couvert menait à un jardin clos. Des colombes jouaient dans l'eau d'une fontaine placée en son centre.

— C'était le jardin privé de ma mère, commenta Caesar en lui désignant l'un des fauteuils entourant une table en fer forgé.

A peine étaient-ils installés qu'une jeune domestique surgit, sans même avoir été appelée.

— Que voulez-vous boire ? demanda Caesar. Du thé ?

— Un espresso, si c'est possible. C'était la boisson favorite de mes grands-parents.

Pourvu que ce breuvage lui donne l'énergie suffisante pour tenir tête à son interlocuteur ! se dit Louise.

Lorsqu'ils furent servis, Caesar ne perdit pas de temps en bavardages inutiles.

— Pourquoi ne pas m'avoir contacté pour m'informer de votre grossesse ? demanda-t-il tout de go.

— Auriez-vous ajouté foi à mes propos ? Après le travail de sape accompli par Aldo Barado concernant ma moralité, cela semblait peu probable. Même mes grands-parents avaient eu du mal à me croire. Jusqu'à ce qu'ils constatent la ressemblance frappante entre Oliver et vous.

— De votre côté, vous n'avez jamais eu le moindre doute ? Comment est-ce possible ?

— Cela ne vous concerne pas ! De même que la vie d'Oliver ne vous concerne en rien.

— C'est mon fils, autant qu'il est le vôtre. De ce fait, sa vie me concerne au plus haut point. Je vous l'ai déjà dit.

— Et je vous ai déjà dit qu'il n'était pas question que mon fils soit traité comme un enfant naturel, obligé de passer après ses demi-frères et sœurs nés d'une union légale.

Louise s'interrompit pour se forcer à recouvrer son calme. Il lui fallait prendre garde à ne pas trahir ses émotions. Après une profonde inspiration, elle reprit plus posément :

— Par expérience, je sais trop bien les dégâts que peut causer sur la personnalité d'un enfant le fait d'être négligé par un parent. Je ne permettrai pas qu'il en soit ainsi pour mon fils. Vos enfants légitimes…

— Oliver est mon seul enfant, et il le restera.

Ces quelques mots semblèrent résonner contre les parois du patio. Hébétée, Louise était impuissante à rompre le silence pesant qui s'ensuivit.

Son seul enfant ? Que voulait-il dire ?

— Vous ne pouvez pas dire cela, finit-elle par articuler. C'est peut-être le cas pour le moment, mais…

— Je n'aurai jamais d'autre enfant. C'est pourquoi j'ai l'intention de reconnaître Oliver comme mon fils et d'en faire mon héritier légitime. Il restera ma seule descendance. Cela ne peut pas être autrement.

Caesar était assis dans l'ombre, et Louise ne parvenait pas à déchiffrer son expression. Cela ne lui était pas nécessaire. Sa voix suffisait à comprendre combien lui coûtait un aveu qui mettait en cause sa virilité, et blessait son amour-propre.

Fallait-il pour autant qu'elle sente la compassion la gagner ?

N'était-ce rien d'autre que la pitié naturelle qu'elle aurait éprouvée à l'égard de quiconque, en pareilles circonstances ?

Allons, se sermonna-t-elle en silence, le serrement de cœur qu'elle avait ressenti ne signifiait nullement qu'elle eût encore quelque sentiment pour Caesar.

Comment l'aurait-elle pu ?

— Vous êtes jeune et vigoureux, objecta-t-elle. C'est impossible.

— Ne croyez pas cela. Il y a six ans, j'ai participé à une opération caritative, financée par ma fondation. Nous étions sur un chantier, en Afrique, lorsqu'une épidémie d'oreillons s'est déclenchée. Malheureusement, je n'ai compris que trop tard que j'étais atteint à mon tour. Les conséquences sont irrémédiables. Je ne pourrai plus jamais être père. Comme je suis le dernier mâle de notre lignée, j'avais fini par admettre que le nom des Falconari s'éteindrait avec moi.

Caesar avait donné cette explication d'un ton impassible et mesuré. Cependant, bien que sa voix ne trahisse aucune émotion, il n'était pas difficile à Louise de comprendre ce qu'il avait enduré. Connaissant son histoire, les traditions siciliennes, son orgueil, elle imaginait sans mal le choc épouvantable qu'avait dû représenter pour lui la nouvelle de sa stérilité.

— Vous pourriez adopter.

— Pour que des générations de Falconari se retournent dans leur tombe ? Certainement pas ! A travers l'histoire, il n'est pas rare que les hommes de ma famille aient mis enceintes les femmes des autres. Mais ils n'ont jamais eu besoin d'accepter le fils d'un autre comme étant le leur.

Louise ne put se retenir de persifler :

— J'imagine que vous faites référence au droit de cuissage ?

— Pas nécessairement. Mes ancêtres n'ont jamais eu

la réputation d'être obligés de s'imposer dans le lit d'une femme. Bien au contraire.

Voilà que son arrogance innée reprenait le dessus ! Cependant, cela n'enlevait rien au chagrin qu'avait dû représenter pour un homme tel que lui le fait de ne pouvoir engendrer d'héritier mâle.

Comme si Caesar avait lu dans ses pensées, il reprit la parole :

— Pouvez-vous imaginer ce que cela signifiait pour moi d'être le premier Falconari, depuis des siècles et des siècles, à se révéler incapable de donner un héritier à notre famille ? Alors, vous devez comprendre quels ont été mes sentiments à la lecture de la lettre de votre grand-père.

— Vous avez refusé de le croire !

Caesar tourna vers elle un regard sombre.

— Bien au contraire ! Je ne demandais que cela.

A un point tel, se souvint-il, qu'il avait failli perdre tout self-control et se précipiter à Londres, au risque de se couvrir de ridicule et d'être éconduit par Louise.

— Simplement, enchaîna-t-il, je n'osais y croire, de peur d'être déçu. Mais le test ADN est concluant. Il ne fait que confirmer ce qui se voit au premier coup d'œil.

— Mes grands-parents disaient souvent qu'il ressemblait beaucoup à votre père, enfant, admit Louise à contrecœur.

— Vous comprenez mieux, à présent, pourquoi je souhaite qu'Oliver soit élevé comme mon fils, et mon seul héritier. J'espère vous avoir rassurée sur le fait qu'il ne passera jamais au second plan dans ma vie. Il n'aura jamais à craindre d'être supplanté à mes yeux par un autre enfant. De plus, ayant moi-même été privé de mes parents à un très jeune âge, je ferai tout ce qui est en mon pouvoir pour être un père aimant. Oliver grandira ici, au *castello*, et…

— Ici ? Mais la place d'Oliver est à mes côtés.

— Etes-vous sûre que c'est ce qu'il désire ?

— Certainement ! Je suis sa mère.

— Et moi son père. J'ai autant de droits sur lui que vous.

L'affolement qui grandissait en Louise était perceptible.

Caesar ne pouvait s'empêcher d'être admiratif devant son attitude de lionne protégeant son petit.

Certes, elle rencontrait quelques problèmes avec son fils, à un moment où il avait besoin d'une présence masculine pour le guider vers l'âge adulte. Elle n'en était pas moins une excellente mère. Les enquêtes qu'il avait fait réaliser à son sujet le lui avaient confirmé.

Entre la jeune fille dont il se souvenait et la femme qu'elle était aujourd'hui, le fossé était considérable. Passer de l'une à l'autre avait dû lui demander une extraordinaire force de caractère, et une incroyable détermination.

Cependant, Caesar ne pouvait se permettre de se laisser attendrir par Louise. Oliver était son fils et il grandirait en Sicile.

— Il est hors de question qu'Oliver partage son temps entre ici et Londres, s'emporta Louise. Cela ne ferait que le déchirer, et le rendre malheureux. Je ne permettrai pas qu'il soit sacrifié au nom de je ne sais quelles... traditions. Ce n'est qu'un enfant. Toutes vos histoires de duché et d'héritage familial ne le concernent pas. En aucune façon il n'aura la même enfance que vous. Je m'y oppose !

Cette déclaration était un défi lancé à Caesar, Louise ne l'ignorait pas. Mais pourquoi demeurait-il ainsi silencieux ? Pourquoi ne relevait-il pas le gant ?

Soudain, elle eut l'impression de s'être laissé attirer dans un piège tendu sous ses pas. Les murs du patio lui semblèrent se rapprocher inexorablement, comme pour la broyer.

— Eh bien, si vous êtes à ce point désireuse qu'Oliver soit éduqué à parts égales par ses deux parents, il n'y a qu'une solution : que vous restiez ici, avec lui.

La douceur avec laquelle Caesar avait prononcé ces mots ne dissimulait pas sa fermeté.

— C'est impossible. Je ne peux renoncer à ma carrière.

— Le bonheur de votre fils ne passe-t-il pas avant cela ? A en croire votre grand-père, Oliver a terriblement besoin de son père.

— Ne faites pas semblant de vous soucier du bonheur de mon fils. La seule chose qui compte pour vous, c'est d'avoir un héritier !

Caesar secoua la tête en signe de dénégation.

— Je ne nie pas que cela ait été vrai au moment où j'ai reçu la lettre. Mais dès la seconde où j'ai vu cet enfant — et avant même d'avoir la confirmation du test —je l'ai aimé. Cela peut vous paraître invraisemblable. Je ne saurais expliquer ce qu'il en est, mais c'est ainsi.

Caesar fut obligé de se détourner un instant pour cacher son émotion à Louise. Il se sentait si vulnérable ! Cependant, il savait qu'il devait se montrer parfaitement honnête avec elle s'il voulait parvenir à ses fins.

— Tout ce que je peux vous dire, reprit-il, c'est que j'ai aussitôt éprouvé un tel besoin de le protéger, de le guider, qu'il m'a fallu un effort surhumain pour ne pas le prendre dans mes bras sur-le-champ.

Louise perçut des accents de vérité dans la voix de Caesar.

C'était le sentiment qu'elle avait éprouvé à la naissance de son fils, quand on lui avait mis dans les bras ce bébé qu'elle n'avait pas désiré, et qui ressemblait tant à l'homme qui l'avait impitoyablement rejetée.

Ce désir farouche de l'aimer et de le protéger, elle l'avait connu, elle aussi.

— Bien sûr, reconnut-elle sans détour, mon fils passe avant mon travail.

— Le plus grand cadeau que l'on puisse faire à un enfant, c'est de lui permettre de grandir entre ses deux parents. Pour le bien d'Oliver, il me semble que nous ne pourrions faire mieux que de lui offrir la stabilité d'un foyer uni. Dans ma situation, et ici, en Sicile, cela ne peut se faire autrement que dans les liens d'une union légale. Aussi, je pense que nous devrions nous marier…

5.

— Nous marier !

Sous le choc, la gorge sèche, Louise eut du mal à seulement prononcer le mot.

— C'est la meilleure solution, pour régler la situation d'Oliver. Cela permettra, aussi, d'effacer les marques laissées par les événements du passé sur la réputation de vos grands-parents.

— Vous voulez parler du déshonneur que ma conduite a fait retomber sur eux ?

Louise avait posé cette question avec colère, gagnée peu à peu par une terreur irrépressible. Comment pourrait-elle épouser Caesar ? C'était inimaginable !

Ce dernier ne semblait pas être de cet avis.

— A l'heure actuelle, poursuivit-il avec le plus grand calme, tout le village se souvient de vous comme de la jeune femme qui a terni le nom de sa famille. Si je me contente de reconnaître Oliver et d'en faire mon héritier, lui seul sera lavé de cette flétrissure. Il n'en sera rien ni pour vous, ni pour vos grands-parents. Or, cela finira par atteindre Oliver. Il se trouvera toujours quelqu'un pour lui rappeler l'indignité qui pèse sur vous. Comment pourra-t-il, alors, être un *duca*, respecté de ses sujets ? Un mariage rachèterait l'ignominie qui reste attachée à votre personne.

Les émotions se bousculaient dans l'esprit de Louise, la laissant sans voix. Si seulement elle avait pu traiter par le mépris l'insolente proposition de Caesar ! Si elle avait été en mesure de lui jeter au visage que c'était *lui*, et les gens du village, qui s'étaient comportés de manière ignoble avec la jeune fille naïve qu'elle était en ce temps-là.

Mais à quoi bon ? Même ses grands-parents avaient adhéré à ce code d'honneur qui faisait d'eux des parias. N'avaient-ils pas accepté leur disgrâce sans se plaindre ?

— Devenir ma femme, enchaîna Caesar, vous élèverait à un statut où le passé ne pourrait plus vous atteindre. Il en serait de même pour tous les membres de votre famille. Et notre fils, bien sûr.

Les sourcils froncés, Caesar observait sur le visage de Louise le conflit qui se jouait entre sa fierté et son amour pour son enfant. Une nouvelle fois, il s'étonna d'être à ce point en empathie avec elle, capable de percevoir tout ce qu'elle ressentait. Etait-ce parce qu'elle était la mère de son fils ? Ou cela tenait-il à la personnalité de la jeune femme ? Il sentit se réveiller une ancienne blessure, toujours douloureuse. Pour rien au monde il ne l'aurait reconnu devant Louise — il avait bien du mal à se l'avouer à lui-même —mais il ne pouvait s'empêcher de se sentir responsable des avanies dont elle avait été victime.

Ce fardeau pèserait sur lui à jamais.

Le jeune homme qu'il était à l'époque avait perdu tout contrôle de lui-même dans les bras de Louise. Sa fierté en avait été blessée au point qu'il n'avait pas eu le courage de lui épargner la vindicte de tous. Comment aurait-il pu comprendre la violence primitive de ce désir forcené qui la jetait vers elle et le terrassait comme la foudre ? La puissance, l'intensité, de ce qui les liait l'un à l'autre ?

Anéanti par la honte, il avait préféré se voiler la face, et oblitérer ses propres sentiments. Tout en rejetant Louise.

Les affaires qui le réclamaient à Rome n'étaient pas des plus urgentes, et il aurait fort bien pu rester au *castello*. Mais il avait choisi la fuite, détruisant en même temps quelque chose d'unique ; il ne l'ignorait pas.

Louise ne saurait jamais combien son souvenir, et le sentiment de culpabilité qui lui était attaché, n'avait cessé de l'obséder au cours des années.

A quoi servirait-il de l'en informer aujourd'hui ? Elle n'avait jamais répondu à la lettre dans laquelle il implorait son pardon, et cela seul suffisait à dire ce qu'elle pensait de lui, et de sa trahison.

En l'épousant, il lui rendrait son honneur. Mais cela ne le libérerait pas du fardeau de sa propre faute. Qu'elle soit tentée de refuser était concevable. Cependant, il fallait qu'elle accepte, pour garantir l'avenir de leur fils, même si ce qu'il lui demandait était un énorme sacrifice.

Malgré tout, essaya-t-il de se rassurer, il n'y avait personne dans la vie personnelle de la jeune femme. Et c'était le cas depuis des années — les recherches qu'il avait fait mener le lui avaient révélé. Si Louise n'était pas en quête d'une relation amoureuse, un mariage de raison pourrait peut-être lui paraître envisageable ?

— Vous ne cessez de me répéter à quel point Oliver et vos grands-parents comptent plus que tout au monde pour vous, insista-t-il. Je vous donne l'occasion d'en faire la preuve.

Ainsi, songea Louise, il pensait la piéger ! Si elle refusait, il ne manquerait pas de blâmer son égoïsme. Mais elle n'était plus la petite oie blanche de dix-huit ans. Caesar n'avait pas toutes les cartes en main. Oliver était son fils et rien ne l'empêchait de quitter l'île avec lui par le premier avion. Une fois de retour à Londres, elle aurait toute possibilité de négocier un arrangement selon ses propres termes.

Il semblait que le cours de ses réflexions n'avait pas échappé à Caesar car il s'interposa d'un ton ferme :

— Surtout, n'allez pas envisager de vous enfuir en emmenant mon fils. Vous n'y parviendriez pas.

Le découragement accabla Louise. Caesar avait incontestablement tout pouvoir de l'empêcher de mettre son plan à exécution. Mais il n'était pas dit qu'elle se soumettrait sans se battre.

— Vous avez beau jeu de me recommander de penser avant tout au bonheur d'Oliver. Peut-être pourriez-vous en faire de même ? Avez-vous songé un instant au choc que cela sera pour lui d'apprendre que vous êtes son père ? Ce n'est pas une chose à lui annoncer sans ménagement. Le préparer à cette révélation prendra un certain temps. Et même s'il accepte la situation, qui vous dit qu'il ne vous rejettera pas ?

— Ce à quoi vous l'encourageriez, je suppose ? Une forme toute sicilienne de vengeance.

Offusquée, Louise rétorqua d'une voix pleine de colère :

— Jamais de la vie ! Oliver est bien trop important pour moi pour que je puisse l'utiliser de la sorte.

— Si vous dites vrai, vous ne pouvez lui cacher la vérité plus longtemps. Il a terriblement besoin de connaître ses origines. J'ai pu m'en rendre compte, sans même avoir besoin d'être éclairé par le message de votre grand-père. Je suis persuadé qu'il sera ravi d'apprendre que je suis son père.

Louise fusilla Caesar du regard, tant son arrogance la mettait hors d'elle. Sans tenir compte de sa réaction, il poursuivit :

— Le plus tôt nous le tiendrons informé, le mieux ce sera. Surtout si nous lui annonçons, en même temps, que nous allons nous marier, et que vous vous installez ici tous les deux.

— Arrêtez de me dire que vous êtes soucieux de l'intérêt d'Oliver ! C'est par pur égoïsme que vous cherchez ainsi à précipiter les choses. Vous vous livrez à un chantage odieux pour me contraindre à vous épouser. Cela n'a pas de sens. Nous ne nous aimons pas. Le mariage ne peut exister sans amour !

— Ce n'est pas vrai ! tonna Caesar.

A ces mots, le cœur de Louise se serra. Elle porta les

mains à sa poitrine. Mais comment pouvait-elle espérer que Caesar éprouve quelque amour pour elle ? C'était insensé !

Heureusement, pensa-t-elle, il ne sembla pas avoir perçu son émotion et poursuivit :

— Nous aimons tous les deux notre fils. Nous nous devons de lui offrir une enfance heureuse et stable. Cela ne peut se faire que s'il est entouré de ses deux parents, unis par leur amour pour lui. C'est ce qui nous a manqué à l'un comme à l'autre, Louise. Moi, parce que j'ai été orphelin trop tôt, et vous…

Un instant Caesar fut obligé de se détourner pour dissimuler à quel point il avait été choqué en découvrant le désert affectif dans lequel Louise avait grandi.

— Parce que mon père ne voulait pas de moi ? avança Louise d'un ton brusque.

— Parce que ni lui ni votre mère n'ont su vous faire passer au premier rang de leurs préoccupations. Je n'ignore pas que ce que je vous propose est difficile. Comme vous, je pense que l'amour partagé, et le respect mutuel, sont les fondements indispensables d'une union heureuse.

Il s'interrompit et, de nouveau, Louise sentit son cœur s'emballer. De nouveau, elle était la gamine de dix-huit ans, amoureuse de Caesar.

— Quoi qu'il en soit, reprit-il, nous savons très bien que cela n'est pas possible entre nous.

Bien sûr ! songea Louise. Caesar ne l'avait jamais aimée, et ne l'aimerait jamais. Mais était-ce ce qu'elle attendait de lui ? Non, certainement pas…

Elle sursauta, en l'entendant ajouter :

— Je suis conscient des sentiments que vous entretenez à mon égard.

Que voulait-il dire ? se demanda-t-elle, soudain envahie d'une vive chaleur. Il n'avait quand même pas le culot de s'imaginer qu'elle tenait encore à lui !

— Le fait que vous n'ayez jamais répondu à ma lettre était suffisamment éloquent…

Voilà qu'elle était abasourdie.

— Une lettre ? Quelle lettre ?

— Celle que j'ai écrite à mon retour de Rome, dans laquelle je vous présentais mes excuses pour mon comportement, et sollicitais votre pardon.

Louise n'en croyait pas ses oreilles. Ainsi, il avait écrit ! Il s'était excusé ! Avait demandé pardon !

— Je n'ai jamais reçu la moindre lettre, dit-elle d'une voix blanche.

— Je l'avais adressée chez votre père.

Ils se regardèrent un instant.

— Peut-être a-t-il jugé préférable de ne pas me la donner… Pour me protéger…

Le cœur serré, Caesar ne crut pas utile de la détromper.

— Oui, je suppose, admit-il.

Louise sentit les larmes lui brûler les paupières, et lutta pour les contenir. Surtout ne pas montrer à Caesar qu'elle était bouleversée ! Et puis, quelle importance si son père lui avait dissimulé cette lettre ? Ce n'était, après tout, que la lettre d'excuses d'un jeune homme bien élevé, mettant un point final à une regrettable aventure.

— Concentrons-nous sur le présent, Louise, déclara Caesar d'un ton cassant. Le passé est le passé !

S'il en avait été besoin, songea Louise, la sécheresse de sa voix aurait suffi à confirmer ce qu'elle pensait.

— Nous devons assumer notre devoir envers cet enfant, poursuivit-il avec le même détachement. Ce devoir dépasse largement nos exigences personnelles. Je conçois qu'un mariage sans amour soit la dernière des choses que vous auriez souhaité pour vous-même. Cela dit, je vous promets que, pour le bien d'Oliver, je ferai tout ce qui est en mon pouvoir pour qu'il voie en moi non seulement un père aimant, mais aussi un bon mari.

Un mariage sans amour… Cette idée même révulsait Louise. Mais pouvait-elle refuser de faire passer le bonheur d'Ollie avant le sien ? N'était-ce pas ce à quoi elle s'était employée depuis qu'il avait vu le jour, et bien avant que Caesar ne s'en soucie ?

Elle n'avait aucun mal à croire à l'amour de ce dernier pour ce fils qu'il venait de se découvrir. Cependant, ce n'était pas sa seule motivation. Ainsi qu'il n'avait cessé de le lui répéter, il lui importait aussi d'en faire son digne successeur, l'héritier d'un système féodal que Louise abhorrait… Mais elle n'avait aucun droit de propriété sur Ollie. Que penserait-il, si elle trouvait le moyen de l'écarter de Caesar, et qu'il n'apprenait sa véritable histoire qu'à l'âge adulte ?

Par ailleurs, elle n'ignorait pas à quel point son fils avait en lui toutes les dispositions des Falconari. Le confier à son père — même pour des périodes de temps limitées —n'était-ce pas prendre le risque de voir ces traits de caractère s'épanouir en lui ?

Epouser Caesar, c'était la certitude qu'elle pourrait continuer à guider son enfant, et à le prémunir contre tous les pièges que comportait son héritage. En demeurant à ses côtés, elle aurait un droit de regard sur son éducation, et saurait le mettre en garde contre ce système archaïque dont on voulait en faire le garant.

Seigneur ! N'était-elle pas en train de céder, de se laisser amadouer ?

— C'est bien joli d'affirmer que vous serez un bon mari, protesta-t-elle, mais il est de notoriété publique que les épouses des Falconari sont tenues de rester dans l'ombre de leur seigneur et maître. Je ne pourrai jamais vivre comme cela, Caesar. Je tiens à ce qu'Ollie grandisse dans le respect des femmes, et de leur droit à l'égalité.

Elle s'interrompit dans sa diatribe pour reprendre son souffle, mais Caesar lui coupa tous ses effets en déclarant :

— Je suis tout à fait d'accord.

— Vraiment ? Mais qu'en est-il de ma carrière ?

Vous n'imaginez pas que je vais abandonner ce qui m'a coûté tant d'efforts et m'a obligée à passer des examens difficiles. Un métier dans lequel je sais être utile. Je ne vais pas renoncer à tout cela pour devenir…

— La mère d'Oliver.

— La duchesse Falconari, vous voulez dire !

— Pour ma part, l'un de mes plus grands espoirs est d'aider les habitants de ces régions à adopter le mode de vie qui correspond à notre siècle. Dans ce domaine, vous pourriez m'être d'un grand secours, Louise. Votre formation et vos compétences vous permettraient de me seconder. Si vous acceptez de vous tenir à mes côtés, votre rôle sera essentiel. Ensemble, nous parviendrons peut-être à bousculer les vieilles traditions, et à amener les gens de ce pays à passer sans trop de mal au monde moderne.

Oh ! comme elle aimerait cela ! songea Louise en entendant Caesar former de tels projets. Comme elle serait fière de participer à cette entreprise !

— De la même manière que nous élèverions notre fils ensemble, poursuivit Caesar, nous unirions nos efforts pour faire aller de l'avant ceux qui seront un jour sous sa responsabilité. Je n'ai probablement pas le droit de vous demander cela, Louise, mais j'ai besoin de votre aide pour accomplir cette tâche. Il vous suffit de dire oui.

— Ce n'est pas aussi simple ! C'est… *inimaginable*…

— Etait-il imaginable que nous concevions un enfant ? Pourtant, c'est ce qui s'est passé.

Encore une fois Louise était ébranlée par les arguments de Caesar. C'était comme s'il lui jetait un sort qui l'empêchait de raisonner normalement. Dès qu'elle était en sa compagnie, elle retrouvait le besoin de ne plus le quitter. Mais lui fallait-il pour cela accepter un mariage de convenance ?

Caesar n'avait aucun sentiment pour elle, certes.

Cependant, l'attachement qu'il avait conçu pour Ollie, dès leur rencontre, était indiscutable.

Or, ce dernier avait besoin d'un père, ainsi que d'explications claires sur ses origines.

De plus, ne devait-elle pas à ses grands-parents de laver leur nom de l'indignité qu'elle leur avait causée ?

Quoi qu'il en soit, il n'était pas dans ses habitudes de courber l'échine !

— Vous prétendez que mon déshonneur sera racheté par notre mariage, mais vous ne pourrez empêcher les commérages. Oliver ne manquera pas d'entendre des remarques désobligeantes sur mon passé. Je ne tolérerai pas cela.

— Et vous n'aurez pas à le faire. Dès l'annonce de notre mariage, je propagerai discrètement le bruit que mon attitude autrefois n'a pas été irréprochable. Je mettrai l'accent sur ma jalousie, qui m'aura empêché de vous protéger comme j'aurais dû le faire. Et je dirai que vous aviez refusé de m'épouser, car vous aviez des projets de carrière que vous souhaitiez mener à bien. Comme la jeune fille moderne que vous étiez. Puis vous êtes revenue, et nos sentiments s'étant révélés aussi forts qu'ils l'étaient naguère, vous avez fini par accepter de m'épouser.

— Vous feriez cela ?

Prise au dépourvu par une offre aussi généreuse, Louise sentit sa détermination faiblir.

Comme il devait être agréable d'être aimée, et protégée, par un homme tel que Caesar ! Mais c'était une pensée qu'elle devait chasser de son esprit sans plus attendre.

— Bien sûr ! Si vous étiez ma femme, il serait de mon devoir de protéger votre réputation.

Ah, évidemment ! C'était sa réputation dont il se souciait. Au fond, songea Louise, peu lui importait de réparer les torts qu'il avait eus envers elle.

— Si votre grand-père était encore de ce monde,

enchaîna Caesar, il vous pousserait à accepter mon offre. Pour votre bien, et pour celui d'Oliver.

— Vous allez continuer longtemps à me soumettre à ce chantage affectif ?

— Aussi longtemps qu'il sera nécessaire. Il y a deux façons de régler les choses entre nous, Louise : la première, c'est en agissant conjointement, pour qu'Oliver ait une enfance heureuse entre son père et sa mère ; la deuxième, en nous opposant l'un à l'autre, au risque de lui infliger des souffrances qui le laisseront meurtri.

— Il y en a une troisième. Vous l'oubliez.

— Laquelle ?

— C'est d'effacer Oliver de votre esprit, et de nous laisser retourner, lui et moi, à notre vie, à Londres.

Louise faillit ajouter : « Comme vous l'avez fait avec moi, jadis. »

Comme s'il lisait dans ses pensées, Caesar rétorqua sèchement :

— Je ne me pardonnerai jamais d'avoir écouté Aldo Barado, lorsqu'il est venu me persuader que personne ne devait apprendre que vous aviez passé une partie de la nuit au *castello*. Il disait que…

— … que vous ne sauriez être associé à une fille comme moi ? Une fille qui n'était rien de plus, dans son esprit, qu'une petite grue, courant après tous les garçons du village.

— J'ai été faible. Je n'ai pas su faire face à mes responsabilités. Je me suis laissé dicter mes actes par un autre. C'était lâche.

Ce que Caesar ne pouvait admettre devant Louise, c'était qu'il avait fui aussi loin que possible, tant il était épouvanté par l'intensité d'émotions sur lesquelles il n'avait aucune prise.

Comment aurait-il pu lui avouer les longues nuits sans sommeil, hantées par les souvenirs, les regrets, et les reproches qu'il s'adressait inlassablement ?

Emue par cette confession, Louise entendit, au tréfonds d'elle-même, une voix plaider la cause de Caesar avec des arguments tirés des enseignements qui lui avaient été prodigués pendant sa formation :

Ce n'était pas l'acte d'un lâche, mais celui d'un jeune homme de vingt-deux ans, accablé par des responsabilités trop lourdes pour lui, et manipulé par quelqu'un de plus âgé que lui, qui avait su utiliser son pouvoir d'influence pour servir ses propres intérêts.

N'était-ce pas ce qu'elle avait l'habitude de faire, dans sa profession ? Aller plus loin que la surface des choses ? Comprendre ce qui se cachait derrière ?

— Vous n'avez pas le droit de priver votre fils de son héritage, Louise, continua Caesar. Il doit découvrir par lui-même en quoi il consiste. Libre à lui, plus tard, de le rejeter si c'est ce qu'il souhaite. J'ai conscience des sacrifices que je vous demande. Mais je sais que vous êtes suffisamment forte pour relever les défis auxquels vous serez confrontée. Et je ne peux imaginer que vous préfériez écarter Oliver de moi à tout prix. Quitte à prendre le risque qu'il souffre de ne connaître ni son père, ni ses origines…

Caesar disait juste, admit Louise. Et il n'avait pas besoin de prétendre louer ses mérites pour venir à bout de ses résistances.

Après tout, un mariage sans amour, sans intimité conjugale, est-ce que cela la dérangeait vraiment ?

Etant donné sa propension à jeter son dévolu sur des hommes qui ne voulaient pas d'elle, elle avait fini par se résigner à l'idée qu'elle ferait mieux de ne plus jamais tomber amoureuse.

Elle n'avait pas envie de donner à son fils l'image d'une mère toujours en quête d'un amour qu'on lui refusait. Quelle vision de la relation entre homme et femme en aurait-il conçue ?

Accéder à la proposition de Caesar, c'était aussi avoir

la certitude d'avoir son mot à dire sur l'éducation future d'Oliver.

Et puis, ses grands-parents auraient été si heureux !

Que de sacrifices n'avaient-ils pas consentis pour elle ? Non seulement en la recueillant chez eux, malgré son déshonneur. Mais aussi en lui apprenant à être une bonne mère, en la soutenant lorsqu'elle avait repris ses études, et en assurant la sécurité d'un foyer aimant à elle et son enfant.

Prenant une profonde inspiration, Louise se leva et alla se placer dans une partie de la cour baignée de soleil. Si Caesar — comme elle le supposait —l'y suivait, il ne serait plus dans l'ombre et elle pourrait enfin déchiffrer ses sentiments sur son visage.

— En admettant que j'accède à votre demande, déclara-t-elle, il y aurait des limites à définir quant à la nature de nos relations. Mais le plus important, c'est le bien-être d'Oliver. Certes, il est en opposition avec moi, à l'heure actuelle, et il a grandement besoin d'une présence masculine dans sa vie. Mais je sais, par expérience, qu'avoir un mauvais père est plus nuisible que de ne pas en avoir du tout. Vous ne connaissez pas Ollie, pour autant que vous affirmiez l'aimer. De son côté, il ne sait rien de vous. Je crains que dans l'excitation de la découverte, il ne se laisse emporter par des espoirs idéalistes, auxquels vous ne serez pas en mesure de répondre. Pour cette raison, il me paraît préférable qu'Ollie apprenne à vous connaître, avant d'être informé de la véritable nature du lien qui vous unit.

Comme Louise l'avait souhaité, Caesar ne tarda pas à la rejoindre au soleil.

Mais si elle avait cru trouver quelque réconfort dans l'expression de son visage, elle avait fait fausse route.

La rigidité de ses traits fermement dessinés trahissait son hostilité aux propos qu'elle venait de tenir. Quant à ses prunelles, du même gris acier que celles d'Oliver, elles lançaient des éclairs furieux.

— Je ne suis pas d'accord, déclara-t-il d'un air hautain. Oliver est un enfant intelligent. Il ne tardera pas à s'interroger sur la ressemblance criante qu'il y a entre lui et moi. Retarder le moment de le mettre au courant pourrait lui laisser supposer que je suis en train de le jauger, et ne suis pas tout à fait décidé à le reconnaître comme mon fils.

Consciente du caractère susceptible et ombrageux d'Oliver, Louise ne put qu'acquiescer, bien qu'à contrecœur.

— Vous n'avez pas tort, reconnut-elle. Mais que lui dirons-nous concernant le passé ?

Caesar semblait avoir anticipé sa question. Décidément, pensa-t-elle, il avait réponse à tout.

— Que nous nous étions séparés après une querelle d'amoureux et que vous étiez repartie pour Londres en me demandant de ne plus vous contacter, persuadée que je n'avais rien à faire d'un enfant.

Ce n'était qu'une demi-vérité, et Louise faillit protester. Mais, au fond, se dit-elle, cela valait peut-être mieux pour Oliver. A son âge, une explication aussi simple serait plus facile à entendre.

— D'accord, concéda-t-elle. Mais reconnaissez qu'Oliver a besoin d'être préparé avant qu'on lui révèle la vérité. Je ne vais pas lui annoncer ça de but en blanc.

— Pourquoi pas ? A en juger par la manière dont il s'est comporté avec moi, il n'attend qu'une chose, c'est de savoir qui est son père. Vous refusez l'idée qu'il puisse y avoir entre lui et moi quelque chose qui ne relève pas de la simple logique. Un sentiment instinctif du lien qui nous unit.

— Vraiment, vous exagérez ! Oliver n'a que neuf ans. Il ne vous connaît pas. N'êtes-vous pas capable de comprendre qu'il s'est formé une image idéalisée du père dont il rêve ?

— A qui la faute ? Qui lui a dissimulé la vérité ?

— J'ai fait cela pour son bien ! Je ne voulais pas qu'il endure les tourments par lesquels je suis passée. Il n'est responsable de rien. C'est moi qui suis à blâmer pour avoir enfreint les règles et attiré la vindicte de tous sur ma famille.

Il était incontestable que Louise aimait farouchement son fils, et était prête à tout pour le défendre, comprit Caesar en entendant résonner dans sa voix des accents de ferveur maternelle.

Il s'y mêlait une fierté qui lui laissait deviner à quel point il avait dû être difficile pour elle de supporter d'être mise au ban de la société.

Tandis que lui, pour sa part, avait été épargné. S'il avait souffert de sa faute, c'était dans le secret de son âme.

Mais il avait chèrement payé ses méfaits.

— Le mariage sera prononcé dès que possible. Ma position devrait permettre d'accélérer la procédure. Le plus tôt nous serons unis, le plus tôt Oliver pourra s'installer confortablement dans sa nouvelle vie.

Comme si un marionnettiste le tenait attaché par des ficelles, Louise sentit son cœur faire un bond dans sa poitrine.

Obnubilée par le souci de savoir comment Oliver réagirait à la nouvelle que Caesar était son père, elle en avait presque oublié toute cette histoire de mariage. Soudain, la complexité de la situation lui apparaissait de nouveau comme un obstacle infranchissable.

— Nous ne pouvons pas nous marier du jour au lendemain ! J'ai un travail, des engagements... Oliver est inscrit à l'école à Londres. Pourquoi ne pas lui dire que vous êtes son père, que nous allons nous marier, puis nous laisser repartir en Angleterre tous les deux pour revenir dans quelques mois...

— Non. Quoi que vous décidiez, Oliver restera ici avec moi. Je n'aurai aucun mal à faire qu'il en soit ainsi.

Louise se sentit trembler de toutes les fibres de son être. Caesar ne mentait pas. Et elle savait à quel point il pouvait se montrer impitoyable quand il s'agissait de protéger ses intérêts. Elle avait payé pour l'apprendre.

Cependant, elle ne se laisserait pas manipuler sans protester. Pas cette fois.

— J'ai des responsabilités. Je ne peux pas tout abandonner pour vous épouser.

— Pourquoi pas ? C'est une situation courante. Nous avons partagé une passion qui a eu pour résultat la naissance d'un enfant. Nous nous sommes séparés, et aujourd'hui la vie nous réunit. Croyez-vous qu'en de telles circonstances un couple amoureux attendrait des mois pour être de nouveau rassemblé ? De plus, Oliver pourrait craindre que cet éloignement nous soit fatal une nouvelle fois.

— Les gens vont jaser.

Cet argument n'était pas des plus solides, et Louise ne l'ignorait pas. Mais au tréfonds d'elle-même elle sentait s'insinuer l'effroi.

Epouser Caesar la remplissait de terreur.

Pourquoi cette crainte ? se demanda-t-elle.

La gamine d'autrefois, suffisamment inconsciente pour prendre le risque d'avoir le cœur brisé, était bien loin.

Plusieurs années auparavant, elle avait fait le travail nécessaire pour y voir clair dans les aspirations qui l'avaient poussée dans les bras de Caesar.

Aujourd'hui, il ne pouvait plus lui nuire. Et même l'intimité que sous-entendait une union — pour aussi formelle qu'elle soit —ne saurait lui faire peur.

— Dans un premier temps, peut-être. Mais dès que nous serons mariés, et qu'il sera clair que nous sommes un couple comme un autre, préoccupé d'élever au mieux son enfant, les bavardages cesseront. Et puis, les villageois seront trop heureux de voir que j'ai un héritier pour se préoccuper de continuer à colporter des ragots sur le passé.

Il jeta un coup d'œil à sa montre.

— Il est temps que nous allions chercher notre fils…

A ces mots, Louise crut qu'elle allait défaillir.

— Alors, c'est vraiment mon papa ?

A 11 heures passées, Oliver était couché dans sa chambre à l'hôtel, et il aurait dû dormir depuis longtemps. Pourtant, il était bien éveillé et ne cessait de poser des questions sur Caesar. Quelques heures plus tôt, ce dernier lui avait calmement annoncé qu'il était son père.

— Oui, vraiment, confirma Louise pour la énième fois.

— Et maintenant, on va habiter ici, toi et moi, et vous allez vous marier ?

— Oui, à la condition que cela te convienne.

En dépit des hésitations de Louise à précipiter les choses, Oliver semblait partager la hâte de son père. Il lui avait spécifié qu'il était impatient de les voir unis.

— Toi et papa, vous allez vous marier très vite. Comme ça on pourra rester ici et être une vraie famille, insista-t-il une nouvelle fois.

— Oui, mon chéri. Mais tu sais que cela va être un grand changement dans ta vie. A Londres, tu as tous tes camarades de classe…

— J'aime mieux rester ici avec papa et toi. Mes copains se moquaient tout le temps de moi parce que je n'avais pas de papa. Je suis content qu'on se ressemble. C'est ce qu'a dit le père de Billy quand il nous a vus ensemble. Je lui ressemble plus à lui qu'à toi. Pourquoi tu m'en avais pas parlé plus tôt ?

— J'attendais que tu sois plus grand, Ollie.

— Parce que vous vous étiez disputés, et qu'il savait pas que j'étais né ?

— Oui.

Il étouffa un bâillement. Les émotions de la journée avaient finalement raison de lui, se dit Louise.

Elle éteignit la lampe de chevet, et sortit sur le petit balcon en refermant la porte derrière elle, pour laisser à Oliver le temps de s'endormir.

En voyant Caesar et son fils réunis, plus tôt dans la soirée, elle n'avait pu qu'être frappée, une nouvelle fois, par leur ressemblance.

Ce n'était pas simplement physique. Ils avaient aussi des tempéraments identiques, et les mêmes gestes.

Comme influencé par la proximité de son père, Oliver avait presque aussitôt adopté la noblesse d'attitude héritée de ses ancêtres siciliens.

Cependant, ce qui avait le plus étonné Louise, c'était la manière dont Caesar avait serré son fils dans ses bras, avec un naturel tout à fait inattendu, lorsqu'ils s'étaient dit bonsoir. Quant à Oliver, il avait répondu à cette étreinte avec effusion, lui d'ordinaire si réservé.

Pendant quelques secondes, Louise s'était sentie presque exclue. Oliver risquait de lui en vouloir, avait-elle compris, si elle retardait les choses. A son âge, comment aurait-il pu comprendre que son seul souci était de lui éviter toute déconvenue dans l'avenir ?

Ollie n'était pas la seule personne que Caesar avait embrassée, pour prendre congé.

Malgré la douceur du soir, Louise tressaillit. Etait-ce le souvenir des mains de Caesar se refermant sur ses bras nus qui faisait courir ce frisson sur sa peau ?

La chaleur de ses paumes l'avait marquée comme au fer rouge, à travers la fine étoffe du châle qui accompagnait sa modeste robe de lin crème.

Elle posa ses mains là où Caesar avait placé les siennes, lorsqu'il s'était incliné vers elle, dans le couloir, devant la porte de leur chambre où il les avait raccompagnés.

Revivant cet instant, elle sentit son visage se colorer

sous l'effet de la colère et de la confusion. Quel besoin avait-elle eu de fermer les paupières, comme dans l'attente de son baiser ? En vérité, ce qu'elle avait cherché, c'était à effacer l'image de Caesar de son esprit.

De la même manière, elle aurait voulu pouvoir le gommer de sa vie.

De nouveau, un frisson la parcourut, tandis qu'elle se remémorait la sensation de son souffle chaud sur sa joue, la caresse de ses pouces sur le haut de ses bras, la façon dont chaque pore de sa peau avait éprouvé leur proximité physique.

Que n'aurait-elle pas donné pour cela, plus jeune ? s'était-elle rappelé.

Ce ne pouvait, d'ailleurs, qu'être la seule cause de la fièvre qui l'avait embrasée soudain — réaction instinctive surgie d'un passé révolu.

Cela n'avait aucune signification cachée, se rassura-t-elle. Ce désir qui s'était sournoisement emparé d'elle n'était rien d'autre qu'une simple illusion.

Peut-être s'était-elle laissé influencer par l'aspiration de son fils à voir ses parents « heureux » ensemble ?

Pendant un instant — et parce qu'elle connaissait une telle fusion avec celui-ci —son propre corps avait traduit ce qu'il percevait du souhait de l'enfant.

Ce n'était rien de plus. Et elle ne permettrait pas qu'il en soit autrement.

Ce mariage ne serait qu'une transaction matérielle, un pacte conclu pour le bien d'Oliver. La relation qu'elle entretiendrait avec Caesar ne saurait dépasser ce cadre étroit. Elle était bien décidée à ce que cela demeure ainsi.

*
* *

Assis dans la bibliothèque du *castello*, Caesar fronça les sourcils en survolant une nouvelle fois les documents qui lui avaient été adressés par l'agence de détectives londonienne, à laquelle il avait demandé d'enquêter discrètement sur la vie de Louise.

Après tout, elle était la mère de son enfant, et il n'était que très naturel qu'il souhaite en savoir davantage sur son passé, autant que sur son présent.

Dès l'instant où elle lui était apparue, dans le petit cimetière de Santa Maria, il avait compris à quel point elle avait changé.

Ce n'était donc pas une surprise de voir cette évolution confirmée par les rapports qu'il avait sous les yeux.

Ce à quoi Caesar ne s'était pas attendu, c'était à lire en termes froids — qui rendaient encore plus dérangeante la réalité de la chose —ce que Louise avait enduré, enfant, de la part de ses parents, et tout particulièrement de son père.

Il était incontestable qu'avant même sa naissance, elle avait été rejetée par ce dernier, qui ne voyait dans le fait d'avoir un enfant qu'un obstacle à ses ambitions. Il avait tenu Louise pour responsable des difficultés rencontrées dans sa carrière, et elle n'avait jamais trouvé grâce à ses yeux, alors même qu'elle cherchait à se concilier ses faveurs.

Voir ainsi les faits exposés sans détours plongeait Caesar dans un mélange de colère, de pitié et de honte.

Comment ne pas en vouloir à cet homme pour avoir manqué à tous ses devoirs ? Comment ne pas éprouver de la compassion pour cette malheureuse enfant ? Et, surtout, comment ne pas être mortifié de savoir que lui-même n'avait fait qu'aggraver l'infortune de Louise ?

Comme il avait été coupable en ne prenant pas le temps de chercher à la comprendre !

Dire qu'il s'était contenté de fermer les yeux sur ce qu'il ne voulait pas voir !

Tout cela parce qu'il n'avait pas supporté d'être attiré par quelqu'un qu'il jugeait indigne de lui.

Il n'avait même pas compris qu'elle venait chercher auprès de lui la tendresse que lui refusait son père.

Or, au lieu de lui accorder ce dont elle avait tant besoin, il l'avait chassée, effrayé qu'il était par la force qui le poussait vers elle. Plutôt que de prendre le temps d'essayer de voir plus loin que la surface des choses, il s'était comporté comme tous ceux qui traitaient Louise sans la moindre considération…

Caesar déglutit avec peine. Les regrets lui mettaient dans la bouche un goût amer. Lui qui se glorifiait d'offrir à son peuple sa sagesse et sa compassion en avait été dépourvu avec la personne qui en avait le plus cruellement besoin.

Humilié d'être incapable de résister au désir qu'elle lui inspirait, il avait choisi de la punir pour avoir mis à jour sa vulnérabilité.

Il avait eu un comportement impardonnable. Comment Louise aurait-elle pu ne pas lui en tenir rigueur ?

Fallait-il qu'elle ait fait preuve de courage et de force morale pour surmonter tout cela ! C'était digne de la plus grande admiration.

Or, s'il l'admirait, Louise n'éprouvait pour lui que mépris.

Cependant, elle acceptait de l'épouser.

Pour le bien de l'enfant qu'ils avaient conçu ensemble.

6.

— Je vous déclare mari et femme. Vous pouvez embrasser la mariée…

Louise se raidit, tandis que Caesar s'inclinait pour déposer un fugace baiser sur ses lèvres. C'était la deuxième fois, le mariage ayant d'abord été célébré en italien, et maintenant en anglais.

La cérémonie se déroulait dans la chapelle privée du *castello*. L'évêque — cousin au second degré de Caesar —avait expressément fait le voyage depuis Rome. A la grande surprise de Louise, plusieurs dignitaires locaux assistaient à la noce, ainsi que la cousine de Caesar, accompagnée de son époux et de leurs trois garçons, dont le plus jeune n'avait que dix-huit mois de plus qu'Oliver.

Anna Maria et sa famille étaient arrivées au domaine des Falconari à peine trois jours après que Caesar eut annoncé leur mariage. Bien qu'elle s'en soit défendue au début, Louise n'avait pas tardé à apprécier la simplicité de cette cousine, qui n'utilisait jamais son titre et avait épousé un roturier.

Oliver s'était tout de suite senti à l'aise en compagnie de ses nouveaux cousins. Aussi, Louise avait-elle consenti à ce qu'il accompagne la petite famille dans leurs sorties.

Anna Maria avait proposé de l'emmener afin de laisser au jeune couple le temps dont il avait besoin pour se retrouver en tête à tête.

Hélas ! Il n'y avait rien que Louise désirât moins que cela !

Caesar avait manifestement servi à sa cousine le discours officiel sur l'histoire de leur relation. En tout cas, Anna Maria ne posait aucune question indiscrète, et semblait heureuse d'accueillir Oliver et Louise au sein de la famille.

Cela avait même été un grand soulagement, reconnaissait Louise, de l'avoir à ses côtés pendant la période éprouvante des préparatifs du mariage. Elle répondait de bonne grâce à toutes les questions et offrait son soutien chaque fois que nécessaire.

Louise aurait aimé que les choses se déroulent dans la plus grande simplicité. Cependant, elle avait été contrainte de s'en remettre à la volonté de Caesar de donner un lustre particulier à leurs épousailles.

A l'en croire, c'était indispensable pour couper court aux ragots. Une cérémonie discrète aurait donné l'impression que Caesar avait honte d'elle et on aurait vite conclu qu'elle s'était servie de son fils pour parvenir à se faire épouser, avait-il dit.

Argument qui n'avait pas manqué de mettre Louise hors d'elle. S'il y en avait un qui manipulait l'autre, avait-elle rappelé, ce n'était pas elle.

La discussion animée qui avait suivi s'était conclue par la victoire de Caesar. Leur mariage aurait toute la pompe désirable, pour montrer à tous à quel point il était fier de ce fils qui venait de lui échoir, et combien il tenait à honorer celle qui le lui avait donné. En tout cas, c'était ainsi qu'il avait présenté les choses à Louise.

Depuis le moment où Caesar s'était penché vers elle pour le traditionnel baiser, il n'avait pas lâché sa main. Louise sentit un tremblement la gagner. Une réaction des plus normales, se rassura-t-elle, après la tension de cette éprouvante journée…

*
* *

Caesar s'aperçut que le voile de dentelle, brodé de perles et de diamants, figurant les armoiries de la famille Falconari, était animé d'un léger frémissement, devant le visage de Louise qu'il dissimulait.

Il fronça les sourcils. Immobile à côté de lui, elle avait affiché, tout au long de la cérémonie, un calme qui ne laissait pas supposer la plus infime appréhension, la moindre fragilité. Pourtant ce tremblement — pour aussi discret qu'il soit —révélait qu'elle avait besoin d'être épaulée, et il jugea nécessaire de se rapprocher d'elle. N'était-elle pas désormais sa femme ? Et n'était-il pas de son devoir de la protéger, en toutes circonstances, et à tout moment ? C'était l'une des règles du code d'honneur de sa famille.

Son expression s'assombrit, comme il observait Louise, pendant que l'évêque entonnait une ultime prière.

Parmi toutes les robes de mariée que Caesar avait fait livrer au *castello* par les plus grandes maisons de couture italiennes, elle avait sélectionné la plus simple, une tenue à la fois discrète et parfaitement appropriée pour l'occasion. En satin crème, et non pas immaculé, pourvue d'un col montant et de longues manches, elle aurait paru banale sur une autre, mais sur elle était d'une élégance majestueuse. Elle avait complété sa tenue par un lourd voile de dentelle autrefois brodé pour la mère de Caesar par les nonnes du couvent fondé par la famille Falconari. Il avait vu là l'influence de sa cousine, jusqu'à ce que cette dernière le détrompe.

Dans un premier temps, avait expliqué Anna Maria, Louise avait hésité à porter quelque chose d'aussi coûteux et fragile. Puis elle avait changé d'avis. Elle tenait à ce qu'Oliver sache qu'elle arborait quelque chose ayant appartenu à la mère de son père, et à la grand-mère de sa mère. Pour celle-ci, il s'agissait d'une ravissante petite broche en émail bleu.

Caesar aurait également apprécié qu'elle accepte la tiare en diamants, héritage familial, qu'il lui avait offerte pour retenir le voile. Ainsi que la somptueuse bague de fiançailles qu'il aurait souhaité lui voir au doigt. Mais il n'y avait pas eu moyen de vaincre son opposition. Son annulaire s'ornait donc simplement du sobre anneau d'or qu'il venait d'y passer, et son front d'un modeste jonc du même métal.

Caesar s'émerveilla de la douceur de ses longs doigts fins, aux ongles vernis d'un rose délicat.

Sans qu'il y prenne garde, une image du passé s'imposa à lui, et il sentit une onde de chaleur le traverser.

Malgré lui, il sentit sa virilité s'éveiller, tandis qu'il revoyait la main tremblante de Louise — aux ongles peints en violet —se refermer sur son sexe dressé.

Le souffle court, elle l'avait caressé avec une ferveur qui avait donné à Caesar l'impression que jamais aucune femme ne lui avait prodigué de telles caresses. Avant que le désir ne l'emporte comme un torrent furieux, annihilant ses défenses…

Il tâcha de refouler ces souvenirs importuns, mais en vain. Comment aurait-il pu lutter contre le trouble que faisait monter en lui l'évocation de ces effleurements délicats, si provocants, et presque timides à la fois ?

Louise n'avait-elle pas su que cette exquise torture allait finir par le rendre fou ?

Les derniers vestiges de son sang-froid avaient volé en éclats, et il n'avait plus eu qu'une envie : celle de la posséder avec frénésie pour la punir du délicieux tourment auquel elle le soumettait sans merci.

Lorsqu'il l'avait fait, cela avait été avec une passion débridée. Une passion dont leur enfant était le fruit.

*
* *

D'un geste brusque, Louise arracha sa main à celle de Caesar. La sensation de sa peau contre la sienne faisait courir des décharges électriques tout le long de son bras. Comme si des éclairs touchaient le point précis où leurs corps étaient en contact.

Elle avait toujours eu une peur panique de l'orage. En tout cas, depuis que son père l'avait repoussée avec violence, un jour qu'elle avait couru vers lui pour quémander sa protection contre la foudre qui déchaînait sa fureur dans le ciel. Elle en avait conçu une crainte irraisonnée du pouvoir de destruction de la tempête, dont elle ne s'était jamais départie. Savoir que c'était la colère de son père qu'elle redoutait plus que tout, et non les forces de la nature, ne l'avait pas aidée à guérir.

Qu'appréhendait-elle aujourd'hui ? Pourquoi cette comparaison lui venait-elle à l'esprit précisément maintenant ?

Elle ne courait aucun danger, s'efforça-t-elle de se rassurer. Pourtant, il lui fallut serrer son bras contre son corps pour dissimuler le tremblement qui aurait trahi son désarroi.

La nuit où Oliver avait été conçu, elle avait aussi tremblé de tous ses membres, se remémora-t-elle. D'ivresse, de passion, du choc éprouvé en prenant conscience de l'intensité de son désir.

Puis, plus tard, c'était l'humiliation infligée par Caesar qui l'avait fait frémir. Elle ne permettrait jamais que cela se reproduise. Ce temps-là était révolu.

Pour l'heure, mieux valait se concentrer sur le moment présent.

La chapelle était pleine des dignitaires que Caesar avait tenu à inviter afin, selon ses dires, de donner à leur union toute la légitimité qu'il souhaitait. L'air était lourd du parfum de l'encens. Lorsqu'elle entendit l'orgue résonner des glorieux accents d'une musique triomphante, Louise comprit qu'il était temps pour elle et Caesar de descendre l'allée centrale. Ils étaient désormais mari et femme…

La seule chose qui la mettait au bord du vertige en cet instant, se dit-elle pour se réconforter, c'était qu'elle n'avait pas eu le temps de prendre son petit déjeuner, et avait imprudemment accepté la coupe de champagne que lui tendait Anna Maria avant la cérémonie.

Cela n'avait rien à voir avec le fait que l'étroitesse de l'allée l'obligeait à se tenir tout près de Caesar.

Cependant, elle n'était pas au bout de ses épreuves. Il lui faudrait faire bonne figure pendant toute la durée de la réception, qui se tiendrait dans la somptueuse salle de bal du *castello*, au décor baroque.

— Tu es duchesse, maintenant, maman.

Le grand sourire d'Oliver, lorsqu'il se précipita vers elle, en disait long sur ce qu'il pensait de ce mariage.

Ces derniers jours, il avait affiché une confiance en lui et une joie de vivre qui réchauffaient le cœur de Louise chaque fois qu'elle posait le regard sur lui.

Quels que soient les sacrifices qu'il lui serait encore demandé de consentir, cela seul suffisait à la rasséréner.

Cependant, elle ne pouvait s'empêcher de ressentir un petit pincement au cœur à constater la force du lien qui se créait entre le fils et le père. Si elle avait pu craindre que Caesar se montre soit trop indulgent avec Oliver, soit trop réservé, elle se devait de reconnaître qu'il avait su d'emblée trouver la bonne attitude avec lui. Elle en avait été surprise, dans un premier temps, puis un peu contrariée.

Comme elle regardait son fils courir vers ses cousins, elle éprouva soudain un terrible sentiment de solitude. Si seulement ses grands-parents avaient été présents à ses côtés, en une telle occasion !

Plus tard dans la semaine, se tiendrait une cérémonie

au cours de laquelle leurs cendres seraient inhumées dans le petit cimetière de Santa Maria.

Louise se raidit en voyant le doyen du village se diriger vers elle. C'était à lui, Aldo Barado, qu'elle avait dû les critiques les plus violentes sur son comportement.

Aujourd'hui, il ne semblait guère enchanté de venir lui présenter ses hommages, alors qu'elle était désormais l'épouse légitime de son *Duca*. Il devait maintenant être septuagénaire, se dit-elle, effectuant un rapide calcul.

Caesar écoutait d'une oreille distraite les récriminations de l'un de ses conseillers — lequel s'efforçait de le convaincre qu'il avait assez investi dans la création d'écoles pour les enfants des villageois —sans quitter des yeux sa jeune épousée. Elle seule retenait toute son attention.

Pourquoi donc ? se demanda-t-il.

Parce que, étant son mari, il jugeait désormais de son devoir de la protéger ? Parce qu'il avait enfin compris comme elle avait souffert dans sa jeunesse ? Parce qu'il ne pouvait se défaire de ce sentiment de culpabilité, né de la conscience d'avoir ajouté à sa douleur ? Parce qu'elle était la mère de son fils et qu'il se devait de lui manifester son soutien publiquement ? Parce qu'il était fier de l'avoir pour épouse, elle qui avait montré tant de courage et de détermination ?

Sans doute pour toutes ces raisons à la fois. Et aussi, parce que, au tréfonds de lui-même, il ne pouvait se défendre d'éprouver toujours du désir pour elle.

Peut-être avait-il, autrefois, inconsciemment, perçu ce que son éducation lui avait fait refuser ? A savoir que Louise n'était pas celle que l'on voulait bien lui faire croire.

En l'observant qui se déplaçait parmi leurs invités, il s'émerveilla de constater qu'elle semblait savoir d'instinct comment se comporter en société.

Elle écoutait avec attention et patience, lorsqu'on s'adressait à elle, et tandis qu'elle passait d'un groupe à l'autre, les regards qui la suivaient étaient toujours bienveillants. Une telle épouse ne pouvait qu'être un atout précieux pour un homme occupant la position qui était la sienne, songea-t-il.

Tel un phénix renaissant de ses cendres, la rebelle de dix-huit ans dont il avait gardé le souvenir s'était métamorphosée en une ravissante jeune femme pleine d'assurance.

Voyant Aldo Barado s'approcher de Louise, Caesar prit congé de ses interlocuteurs et se dirigea vers eux. Il était de son devoir, et de sa responsabilité, de protéger aussi bien son fils que sa femme. Par conséquent, il était hors de question qu'il répète les erreurs commises par le père de cette dernière autrefois et la laisse seule face au danger.

Au moment où Caesar se matérialisa à côté d'elle, quelques secondes avant qu'Aldo Barado ne la rejoigne, Louise éprouva un soulagement qu'elle se reprocha aussitôt. Fallait-il qu'elle soit stupide ! se morigéna-t-elle. Oubliait-elle que les deux hommes s'étaient ligués contre elle jadis ?

Son soulagement fut de courte durée. La prenant au dépourvu, Caesar lui passa un bras autour de la taille pour l'attirer à lui, et elle sentit la nervosité la gagner. Comble de malheur, dans le mouvement instinctif qu'elle fit pour résister, elle perdit l'équilibre et fut contrainte de s'appuyer contre lui. On aurait pu croire qu'elle accueillait son étreinte avec bonheur.

Comme si elle était obligée de jouer avec lui la comédie de l'amour conjugal !

Horrifiée, elle prit conscience que la proximité de Caesar semblait affoler toutes ses terminaisons nerveuses. Le pire, c'était que cela lui rappelait dangereusement d'autres occasions où il avait eu sur elle le même effet.

Il fallait qu'elle se reprenne sans tarder !

Elle laissa échapper un soupir étouffé. Dire qu'elle croyait avoir réussi à effacer à tout jamais de tels souvenirs !

Oh ! et puis après tout, qu'y avait-il de si surprenant à ce qu'elle soit émue par la présence d'un bel homme ? C'était tout simplement humain.

— Mon adorable épouse !

La voix de Caesar la ramena à la réalité. Elle se raidit quand il la serra contre lui. Ne savait-elle pas qu'il se contentait de jouer le rôle du mari protecteur ?

Quant à la tension qu'elle éprouvait, elle n'avait d'autre cause que son refus de cette mascarade, se répéta-t-elle. La puissance virile de ce bras passé autour de sa taille n'y était pour rien.

Cette image du couple amoureux que Caesar s'efforçait de donner la laissait de glace. De plus, elle refusait d'accorder la moindre importance au fait que semblaient irradier, du point de contact entre leurs deux corps, des décharges électriques qui la faisaient trembler de la tête aux pieds.

Dans les regards furibonds dont le gratifiait Louise, Caesar lisait son refus obstiné d'accepter les signaux que lui envoyait visiblement son corps.

Bien des années auparavant, elle avait vibré comme elle le faisait maintenant. Cependant, elle n'avait pas cherché à dissimuler l'émoi dans lequel la mettait le moindre des gestes qu'il avait à son endroit. Tout au contraire, elle s'y était soumise avec un indéniable ravissement.

Caesar fit la moue, tout en se reprochant d'être aussi sensible au fait que Louise manifestât une telle répulsion à son contact.

Que lui importait ? Il n'était plus un jeune homme candide, bouleversé de constater le trouble qu'il faisait naître chez une femme.

Aujourd'hui, l'important c'était Oliver. La seule chose qui comptait, désormais, n'était-elle pas que tout le monde accepte ce fils qui venait de lui être donné ? Et qu'ils acceptent, dans un même temps, la mère de celui-ci ?

— Excusez-moi de m'imposer ainsi, Aldo, déclara-t-il, mais j'avoue que je ne peux me résoudre à rester trop longtemps éloigné de Louise, maintenant que nous nous sommes retrouvés.

Au fond, songea Caesar, ce n'était pas tout à fait faux. Rien ne lui garantissait que s'il la perdait de vue un moment, Louise n'allait pas essayer de se sauver en emmenant Oliver.

Intérieurement, Louise s'irrita de cette parodie d'amoureux transi que Caesar donnait à voir. Tout cela n'était que mensonge.

Mais aurait-elle voulu que ce soit la réalité ?

Certainement pas ! Il lui suffisait de se rappeler la façon dont il l'avait fait souffrir pour s'en persuader.

— Je ne vous cacherai pas que votre union m'a surpris, répliqua Aldo Barado, la mine sévère.

Il sembla hésiter un instant, puis ajouta d'un air de regret :

— Quoi qu'il en soit, on ne peut douter que cet enfant soit le vôtre.

— En effet, affirma Caesar d'un ton catégorique. Il est heureux que Louise ait eu la générosité de me pardonner mes erreurs passées. Je sais à quel point elle est compréhensive, et je suis certain qu'elle saura étendre son pardon à tous ceux qui l'avaient traitée injustement. Pour peu qu'ils reconnaissent leurs erreurs.

Louise ne put se retenir d'écarquiller les yeux en entendant cette affirmation. Elle ne se faisait aucune illusion concernant Aldo Barado. Il n'était pas besoin d'être grand psychologue pour savoir que le vieil homme n'était pas venu chercher son pardon.

— Avoir une femme telle que Louise est une grande chance, poursuivit Caesar. Et avoir un fils également.

— Un fils est un don du ciel, admit Aldo Barado.

— A la fin de la semaine, nous procéderons à l'inhumation des cendres des grands-parents de mon épouse, au petit cimetière de Santa Maria. Je compte sur la présence des habitants de leur village pour leur rendre un hommage mérité. A cette occasion, j'annoncerai que j'offre un nouveau vitrail à leur mémoire, pour remplacer celui qui a été endommagé par la tempête de cet hiver.

Caesar n'en dit pas plus. C'était suffisant, songea Louise. Elle savait comment fonctionnait la petite communauté. Le message serait transmis. En quelques mots, Caesar avait obtenu ce qui tenait tant à cœur à son grand-père, se dit-elle. Tel était son pouvoir. Autrefois, il en avait fait usage contre elle mais, aujourd'hui, il le mettait au service de ses grands-parents. Pour la simple raison qu'Oliver était son fils. Rien d'autre. Il se souciait comme d'une guigne de lui faire plaisir, car elle ne comptait nullement à ses yeux, se dit-elle. Ce qui, d'ailleurs, lui convenait très bien. Peu lui importait l'indifférence de Caesar, car elle-même n'éprouvait rien d'autre à son égard.

Louise attendit qu'Aldo Barado se soit éloigné pour se tourner vers Caesar, et lâcher entre ses dents d'un ton indigné :

— Il était tout à fait inutile de voler à mon secours. Je suis tout à fait capable de tenir tête à ce genre de vieux grincheux. Il m'a fait peur jadis, mais c'est terminé. Quant à ce que vous avez exigé concernant l'office à la mémoire de mes grands-parents, je m'en serais passée. Croyez-vous que j'aie envie de voir y assister tous ceux à qui vous aurez graissé la patte pour cela ?

— Vous ne vous en rendez pas compte, mais il est important que les gens du village soient présents en nombre. Cela ne leur sera pas indifférent. C'est aussi ce que vos grands-parents auraient voulu.

Les arguments de Caesar étaient irréfutables, Louise ne pouvait le nier. Mais elle prit sa revanche en déclarant d'un ton sec :

— Vous pouvez me lâcher, maintenant. Aldo Barado est parti. Plus besoin de jouer la comédie.

Caesar ne retira pas son bras de sa taille, et se pencha à son oreille, comme pour lui chuchoter de tendres secrets :

— Il n'était pas seul à nous observer, dit-il. Nous sommes obligés de donner à tous l'impression d'un couple amoureux. Tout au moins le jour de nos noces. C'est pour le bien d'Oliver. Vous l'avez admis vous-même.

De sa main libre, il fit passer une boucle de cheveux derrière l'oreille de Louise. Son regard était fixé sur sa bouche, comme s'il avait toutes les peines du monde à résister à l'envie de l'embrasser.

Comment était-il possible que cela suffise à lui donner l'impression que ses lèvres étaient brûlantes ? s'indigna intérieurement Louise.

— Assez !

— Que voulez-vous dire ? fit mine de s'étonner Caesar.

— Arrêtez de me regarder comme ça !

— Je ne comprends pas…

— Si, vous savez très bien que vous me regardez comme…

— Comme si vous me rendiez fou de désir ? N'est-ce pas l'image que nous sommes convenus de donner ?

Louise ne se souvenait pas d'avoir envisagé rien de tel. Cela dit, elle se sentait tout à fait incapable de raisonner logiquement, paralysée qu'elle était par ce regard de braise.

Que lui arrivait-il ? Cela faisait dix ans qu'elle n'avait rien ressenti pour un homme. Dix années s'étaient écoulées depuis la seule et unique fois où elle avait éprouvé l'intensité du désir physique. Une émotion qu'elle avait, alors, naïvement confondue avec l'amour.

— Nous sommes mariés. Cela ne suffit-il pas à prouver à tous ces gens que nous avons des sentiments l'un pour l'autre ? Après tout, nous n'allons pas… Enfin, il est hors de question que…

Si Louise avait laissé paraître un certain émoi quelques

instants plus tôt, il était maintenant manifeste qu'elle n'éprouvait rien pour lui, comprit Caesar.

Cette constatation aurait dû le soulager. La dernière chose qu'il souhaitait, c'était que leur relation soit rendue encore plus compliquée par l'attirance physique.

Alors, pourquoi était-il contrarié ? Etait-ce son orgueil de mâle qui était meurtri ? Il ne se croyait pas aussi superficiel !

La seule raison de leur mariage était de protéger leur fils, se répéta-t-il en son for intérieur.

Malgré tout, les réactions de Louise rendaient nécessaire une conversation qu'ils avaient repoussée jusque-là.

— Notre relation exclut le sexe, nous le savons tous deux. Quoi qu'il en soit, il est préférable que personne ne se doute de cette situation, vous en conviendrez.

— Oui, approuva Louise dans un souffle.

Pourquoi ce sentiment de solitude qui l'envahissait tout à coup ? se demanda-t-elle, simplement en entendant Caesar rappeler une évidence. Après tout, elle n'avait pas la *moindre* intention d'avoir une relation physique avec lui.

— Puisque nous abordons le sujet, poursuivit Caesar, il est également hors de question que l'un ou l'autre d'entre nous ait une liaison extraconjugale. Notre seul souci étant la sécurité affective d'Oliver, nous n'avons d'autre choix que le célibat. Tout au moins pour les années à venir. Mais dans la mesure où ni l'un ni l'autre n'avions de relation suivie…

— Dois-je comprendre que vous avez fait mener une enquête sur ma vie privée ? l'interrompit Louise.

— Bien sûr. Il était essentiel pour moi de savoir si vous aviez, à un moment ou un autre, présenté à Oliver un beau-père potentiel.

— Pensez-vous que j'aurais pu mettre en danger l'équilibre affectif de mon fils ? Je vous rappelle que j'ai accepté de vous épouser uniquement parce que vous êtes son père et qu'il a besoin de vous. Quelle que soit l'opinion que j'ai de vous, je suis convaincue que vous vous acquitterez de ce rôle comme il convient. Pas… comme mon propre père.

Louise se détourna d'un mouvement vif. Pourquoi fallait-il qu'elle se laisse aller à des confidences ?

A son grand soulagement, elle vit Oliver se diriger vers eux, en compagnie de ses cousins. Tout excité, il leur fit part d'un projet de visite à un parc aquatique où Anna Maria souhaitait les emmener.

Voir son fils heureux, son assurance retrouvée, justifiait largement tous les sacrifices qu'elle aurait à faire, songea Louise.

Le moment qui racheta, aux yeux de Louise, toutes les tensions de cette journée, fut celui où le mari d'Anna Maria leva son verre à la santé du tout nouveau couple, et où Oliver, les joues roses de plaisir, demanda :

— Alors, maintenant, j'ai vraiment un papa, n'est-ce pas ?

Caesar se leva aussitôt et alla étreindre son fils avant de déclarer d'un ton solennel :

— Tu as un père, Oliver, et j'ai un fils. Rien ne pourra jamais nous séparer.

Ces paroles allèrent droit au cœur de Louise. Bouleversée, elle se dit que les inquiétudes qui la taraudaient depuis de longs mois au sujet de son fils allaient enfin se dissiper.

Certes, il ne lui était pas facile de faire ainsi confiance à Caesar. Mais avait-elle d'autre choix, quand Oliver montrait aussi clairement que c'était lui qu'il voulait pour père ?

Lorsque Caesar revint s'asseoir, elle se tourna vers lui, et profita de ce que les conversations allaient bon train pour lui dire à voix basse :

— Si vous deviez décevoir Oliver, *en quoi que ce soit*, sachez que je ne vous le pardonnerais jamais.

La réponse de Caesar, proférée sur le même ton, exprimait une détermination tout aussi farouche.

— Si je devais décevoir Oliver, de quelque manière que ce soit, dit-il, c'est moi qui ne me le pardonnerais jamais.

7.

— Oh ! Caesar, j'ai failli oublier de te dire, pouffa Anna Maria, ta gouvernante a perdu l'esprit ! Je l'ai entendue, ce matin, donner des ordres pour qu'on prépare les deux chambres communicantes qu'occupaient tes parents, pour Louise et toi.

Les adultes de la famille s'étaient rassemblés dans la « petite » salle à manger — laquelle avait quand même des dimensions impressionnantes —pour comparer leurs impressions d'une journée dont tous s'accordaient à dire qu'elle avait été un succès.

Louise se figea quand la cousine de Caesar enchaîna d'un ton badin :

— Comme si vous alliez faire chambre à part ! On n'est plus au siècle dernier ! Je me suis empressée de rectifier les choses, et je lui ai dit de faire transférer les effets de Louise dans ta suite. Mais, vous devez être épuisés, tous les deux. Pour ma part, je ne tiens plus debout.

Hébétée, Louise n'osait regarder Caesar, pour voir comment il réagissait à cette initiative qui venait bousculer toutes les dispositions qu'il avait prises.

Lorsque tous deux avaient évoqué les modalités à mettre en place pour donner à tous l'illusion que leur couple était parfaitement « normal », Caesar avait suggéré qu'ils occupent les appartements contigus qui avaient toujours été réservés au *Duca* et à la duchesse. Certes, avait-il précisé en les lui faisant visiter, ils auraient besoin d'être rénovés, mais ils leur permettraient d'avoir chacun leur intimité, tout en préservant l'image d'un couple ordinaire. Louise aurait tout loisir de faire décorer son côté comme elle l'entendait. Quant à lui, il retournerait s'installer dans sa suite de célibataire, en attendant que les travaux soient terminés.

Par son intervention pleine de sollicitude, Anna Maria avait perturbé tous ces plans. Et Louise mourait d'impatience de se retrouver en tête à tête avec Caesar pour donner libre cours à son indignation.

Cependant, lorsqu'ils furent enfin seuls — dans la suite normalement dévolue au seul usage de Caesar —, elle se trouva dans l'incapacité d'exprimer sa consternation et sa colère, tant l'émotion qui l'envahissait la rendait muette.

Regardant autour d'elle, elle se remémora la première visite qu'elle-même et sa famille avaient faite au *castello*. Ce jour-là, Melinda avait insisté pour visiter les appartements privés du jeune duc. Louise avait jugé que le salon bibliothèque, la chambre attenante, et la salle de bains frappaient par leur dépouillement un peu trop austère à son goût. Ce n'était que bien plus tard, lorsqu'elle avait appris ce qu'étaient la véritable élégance, et le style, qu'elle avait compris tout le raffinement de la sobre palette de couleurs utilisées dans leur décoration.

Les murs lambrissés étaient peints dans un bleu-gris très doux, et d'épais tapis modernes, d'une teinte plus soutenue, réchauffaient le sol de marbre. Des canapés en cuir et des meubles certainement créés par des designers de renom occupaient l'espace, autour d'une vaste cheminée. Sous une fenêtre, était installé un ordinateur dernier cri, et tous les équipements de la technologie moderne. La double porte était grande ouverte sur la chambre où trônait un immense lit, préparé de chaque côté pour accueillir le couple.

Louise sentit son sang se glacer dans ses veines.

A une occasion, par le passé, elle avait partagé ce lit

avec Caesar. N'était-il pas plus juste de dire qu'elle l'avait presque supplié de l'y accueillir ?

Que n'aurait-elle donné, alors, pour ne pas se retrouver dans cette chambre ! C'était trop douloureux. C'était là que son fils avait été conçu ! Là qu'elle avait voulu croire à l'amour de Caesar, quand tout lui disait le contraire. C'était dans ce lit qu'elle s'était laissé emporter par des désirs et des émotions auxquels elle ne comprenait rien, mais auxquels elle était bien incapable de résister.

Du coin de l'œil, elle vit Caesar jeter sur le dossier de l'un des canapés de cuir blanc la veste de smoking qu'il avait passée pour le dîner. Le mouvement qu'il fit tendit l'étoffe de sa chemise sur ses épaules. A son grand désespoir, Louise sentit son cœur s'emballer à cette vision.

Elle se hâta de fermer les yeux, mais se reprocha aussitôt de l'avoir fait. C'était comme si le film de cette soirée était soudain projeté sur ses paupières closes. Elle revoyait Caesar penché sur elle, son torse nu et doré luisant de sueur. Elle se rappelait comme elle avait tendu la main pour le toucher, et comme elle avait eu l'impression que la sensibilité de ses doigts était exacerbée par le désir qu'elle avait de lui. La douceur de sa peau s'était gravée dans sa mémoire à tout jamais. Elle n'avait, d'ailleurs, cessé de s'étonner qu'un tel satin puisse recouvrir cette musculature d'airain.

Sous les pectoraux puissants, elle avait perçu les battements sourds de son cœur, et le sien s'était mis à l'unisson, dans un rythme lancinant qui l'avait poussée vers lui.

Caesar avait laissé échapper un gémissement rauque, révélant l'intensité du combat qu'il se livrait à lui-même pour contrôler la fièvre qu'elle avait délibérément allumée en lui. Puis, alors qu'elle arquait vers lui son corps offert, il était entré en elle, en une seule poussée. Comme elle avait aimé qu'il la possède avec cette fougue ! Comme cela avait comblé toutes ses attentes, tous les fantasmes qui avaient peuplé son esprit depuis l'instant où elle avait posé les yeux sur lui, et senti s'éveiller sa propre sensualité ! Tout son corps avait accueilli avec émerveillement le plaisir qui explosait en lui comme une flamboyante gerbe d'étincelles.

Mais elle ne voulait plus être tourmentée par de tels souvenirs. C'était cette chambre qui l'y replongeait malgré elle. Cette chambre, et rien d'autre.

— Pourquoi a-t-il fallu qu'Anna Maria se mêle de ce qui ne la regarde pas ?

L'angoisse perceptible dans la voix de Louise fit se retourner Caesar.

— Elle a pensé agir pour notre bien, répondit-il d'un ton qui se voulait apaisant. Elle nous croit épris l'un de l'autre, et est persuadée que c'est ce que nous voulons. A ses yeux, nous sommes deux amoureux qui viennent seulement de se retrouver et sont impatients d'être en tête à tête.

Louise se raidit à ces mots. Pourquoi étaient-ils si déchirants à entendre ? se demanda-t-elle. Pourquoi faisaient-ils surgir en elle des sentiments si douloureux, et des idées si pernicieuses ?

— Cependant, poursuivit Caesar, dès que ma cousine et sa famille repartiront pour Rome, nous reviendrons à nos premières dispositions.

Comment pouvait-il prendre tout cela avec une telle décontraction ? s'indigna Louise. Pour sa part, la tension qui nouait son estomac la mettait au bord du malaise.

— Mais ils sont encore là pour trois semaines ! protesta-t-elle.

— La situation est aussi inconfortable pour moi que pour vous, rétorqua Caesar.

En proie à la panique que faisait naître en elle son incapacité à oblitérer le passé, Louise ne le laissa pas poursuivre.

— J'en doute ! lança-t-elle d'un air de défi.

La réaction de Caesar ne se fit pas attendre. Cette fois, ce fut d'un ton cinglant qu'il demanda :

— Vous n'imaginez quand même pas que c'est moi qui ai suggéré à Anna Maria d'intervenir auprès de ma gouvernante ? Tout cela pour vous obliger à partager mon lit ?

— Non, bien sûr, bredouilla Louise d'une voix hésitante, ce n'est pas ce que je voulais dire. Personne ne pourrait imaginer que vous ayez besoin de recourir à la ruse pour attirer une femme dans votre lit.

— Alors que vouliez-vous dire ?

Ce que Louise ne pouvait révéler, c'était que seule la peur lui avait dicté cette remarque acerbe — la terreur que lui inspiraient tous ces souvenirs qui ne cessaient de l'assaillir.

— Juste que je sais à quel point il est important pour vous que nous donnions l'image d'un couple passionnément épris. Que nous partagions la même chambre ne peut qu'entériner ce scénario.

— Ce n'est pas dépourvu de logique.

Comment pouvait-il parler de logique, se révolta Louise in petto, quand elle était en proie à la panique la plus incontrôlable ?

— Vous m'aviez assuré que j'aurais ma propre chambre, protesta-t-elle, sans parvenir à dissimuler son affolement.

— Ce sera le cas. Dès que possible. Pour l'instant, nous n'avons d'autre choix que de partager cette chambre.

— Et le lit ? Vous croyez que je vais accepter de partager votre lit ?

Caesar fronça les sourcils.

— Non, bien sûr ! Je dormirai sur le canapé.

— Pendant trois semaines ?

— Puisqu'il le faut. Cela dit, il sera indispensable que nous donnions le change aux femmes de chambre, en leur laissant croire que nous avons dormi ensemble.

Louise opina du chef. Elle n'avait guère le choix, résolut-elle.

— La journée a dû vous paraître interminable, enchaîna Caesar. De mon côté, j'ai quelques affaires à régler.

Le voyant se diriger vers l'ordinateur, Louise sentit son cœur se serrer. Elle s'adressa aussitôt une muette remontrance. Ce n'était quand même pas la déception qui troublait son esprit ! Comment aurait-elle pu souhaiter que Caesar cherche à établir une relation d'intimité entre eux ? D'accord, ils étaient désormais mari et femme, et c'était leur nuit de noces. Mais quelle importance ?

Pivotant sur ses talons, elle se dirigea vers la chambre. Elle allait y entrer, quand elle entendit Caesar lancer d'un ton détaché :

— Vous ne m'avez jamais expliqué pourquoi vous étiez aussi certaine que j'étais le père d'Oliver.

Pétrifiée, Louise se tourna lentement, et dévisagea Caesar comme il la dévisageait.

Se rendait-il compte à quel point ses paroles étaient blessantes ? Ne voyait-il pas qu'elle était bouleversée ? Que voulait-il dire ? Qu'elle avait eu une collection d'amants, et que parmi eux il était le plus susceptible de lui avoir fait un enfant ? Quelle arrogance ! Et quelle cruauté !

Soudain, son amour-propre prit le dessus. Oubliant toute prudence, elle s'entendit déclarer avec colère :

— Parce que aucun autre homme n'aurait pu l'être, tout simplement !

— Vous n'avez jamais eu le moindre doute à ce sujet ?

Mais qu'est-ce qu'il lui prenait d'insister ainsi ? se demanda Caesar, ne comprenant pas lui-même ce qu'il cherchait. Voulait-il entendre Louise lui dire qu'elle n'aurait jamais souhaité un autre père pour son enfant ? Avait-il besoin, tout d'un coup, de s'entendre affirmer qu'ils avaient communié dans un même élan, lorsqu'ils avaient conçu leur fils ? Quelle folie s'emparait donc de lui ?

Louise était trop en colère pour percevoir dans la voix de Caesar ce petit tremblement, révélateur de l'émotion qui l'étreignait. Elle ne pensait qu'à se défendre, et à réfuter l'opinion erronée qu'il avait d'elle.

— Non ! s'exclama-t-elle d'un air farouche. Pour la bonne raison que vous étiez mon premier amant, et que je ne prenais pas la pilule à l'époque !

Il fallut quelques secondes à Caesar pour assimiler l'information qui venait de lui être donnée.

— Vous… vous étiez *vierge* ?

A la façon dont Louise s'était déchargée de cette révélation, il ne pouvait douter de sa véracité. Tout à coup, il se sentit accablé par la culpabilité.

Comment avait-il pu être assez aveugle, cette nuit-là, pour ne pas s'en rendre compte ?

Mais aussi, elle s'était offerte à lui avec une totale impudeur, sans la moindre réticence ou hésitation. Comment aurait-il pu imaginer qu'il était le premier, pour cette jeune effrontée qui avait usé de tous les ressorts de la séduction pour le rendre fou de désir ? Pourtant, cela ne signifiait pas qu'elle n'eût pas été vierge. Simplement, il s'était à tel point laissé égarer par la violence du conflit qui se jouait en lui qu'il avait été indifférent à tout ce qui n'était pas ses propres émotions. Il s'était comporté comme un enfant gâté, égoïste et irréfléchi.

Les rapports reçus de Londres lui avaient appris qu'il n'y avait jamais eu la moindre relation masculine dans la vie de Louise, après son retour à Londres. Maintenant, il s'interrogeait sur cette absence de vie sexuelle, et affective. Se pouvait-il que ce soit à cause de lui — à cause de ce qui s'était passé entre eux —qu'elle avait renoncé aux hommes ?

— Vous étiez *vierge* ? répéta-t-il, tandis que les pensées se bousculaient dans son esprit. Ce n'est pas…

Il s'apprêtait à dire que ce n'était pas ce qu'il avait imaginé lorsqu'il avait fait sa connaissance, mais Louise ne lui laissa pas finir sa phrase.

— Ce n'est pas possible ? Pourtant, c'est la stricte vérité. De toute façon, je me moque de ce que vous pensez de moi. Mais je savais pertinemment qui était le père d'Oliver.

— Pourtant, quand vous êtes arrivée au village…

— J'avais l'air d'une petite grue, prête à se jeter à la tête du premier venu ? C'est exact. Je voulais être le centre de l'attention de tous. J'étais jalouse de Melinda, et de l'amour que lui portait mon père. Faire les quatre cents coups était le seul stratagème que j'avais trouvé pour attirer son attention. Il n'était pas bien compliqué de me faire passer pour celle que je n'étais pas, tout en maintenant à distance les garçons trop entreprenants. Quant à mon père, il était furieux, mais il était bien obligé de me surveiller.

— Vous avez pourtant accepté de vous donner à moi.

Louise comprit qu'il lui fallait jouer au plus fin pour ne pas laisser Caesar deviner à quel point elle avait été sotte, en ce temps-là, en voulant le croire amoureux d'elle.

— Oui. A cause de ce que vous étiez. Je m'étais mis en tête que, si vous me manifestiez de l'intérêt, mon père me considérerait d'un autre œil. Comment aurait-il pu continuer à me traiter avec le plus parfait mépris, si l'homme le plus important de la région m'accordait son amour ? De plus, il ne m'a pas été difficile de vous tromper avec ma soi-disant connaissance des choses du sexe. J'avais vu assez de films, entendu assez de filles se confier sur leurs expériences, pour avoir l'air avertie.

Pour cacher son désarroi, Caesar se détourna. Comment n'avait-il pas compris, *senti*, à quel point Louise était fragile ? Hélas, il connaissait la réponse à cette question. C'était, tout bonnement, parce qu'il s'était laissé emporter par le désir qu'il avait d'elle.

— Est-ce que je vous ai… fait mal ?

Il avait dit cela dans un souffle, d'une voix sourde qui toucha Louise au cœur. Elle ne s'attendait pas à cette question, en forme d'aveu. Allait-elle le laisser dans la culpabilité de ne pas avoir pris la mesure de son innocence ? Non. Elle ne pouvait se résoudre à cela.

— Pas du tout, répondit-elle, radoucie. C'est moi qui avais tout fait pour que les choses en arrivent là entre nous. J'ai joué de toutes mes armes pour que vous finissiez par le vouloir aussi. Tout cela en me persuadant que nous vivions une sorte de conte de fées et que vous m'aimiez tout autant que je croyais, stupidement, être amoureuse de vous. Mon père me refusait son amour, mais j'avais réussi à me convaincre que j'avais gagné le vôtre.

Louise s'interrompit un instant, tant sa gorge se serrait au souvenir du plaisir qu'elle avait pris dans les bras de Caesar. Et du bonheur qu'elle avait trouvé dans ses folles espérances.

— Ce que je n'avais pas prévu, reprit-elle d'un ton qui se voulait léger, c'était que vous me laisseriez tomber, ni que mon père verrait rouge. Et, bien sûr, je n'avais pas imaginé une seconde pouvoir être enceinte.

Mieux valait plaisanter, se dit-elle. Tout cela appartenait à un passé révolu. Et elle aimait trop Oliver pour regretter un seul instant de l'avoir conçu. N'était-ce pas aussi grâce à lui qu'elle avait repris les rênes de sa vie ?

— Heureusement, conclut-elle, mes grands-parents se sont montrés d'une générosité fabuleuse à mon égard. Je leur dois d'avoir pu résister à la volonté de mon père, qui tenait à ce que je mette fin à cette grossesse. C'est pour cela que je tiens tant à honorer la promesse que je leur ai faite.

— La cérémonie aura lieu vendredi. J'ai tout organisé. La majeure partie des villageois sera présente.

— Je vous remercie.

Sans même réfléchir, Caesar fit un pas vers Louise.

Se serait-elle trouvée sur la plus vertigineuse des montagnes russes que Louise n'aurait pas eu davantage l'impression que son cœur se détachait dans sa poitrine. Si Caesar tendait la main vers elle, s'il l'attirait dans ses bras, s'il l'*embrassait*, elle…

Un violent frisson la secoua de la tête aux pieds, tandis qu'une douleur sourde s'éveillait au creux de son bas-ventre.

A voir Louise frémir de la sorte, Caesar s'arrêta net. Elle le haïssait. C'était clair, se dit-il.

— Il est tard, déclara-t-il d'un ton cassant. Vous feriez mieux de prendre un peu de repos.

Louise hocha la tête en signe d'assentiment, et gagna la chambre. En refermant les portes, elle songea que c'était la première nuit de sa vie d'épouse.

La première d'une interminable série de nuits où elle dormirait seule, bien que Caesar et elle fussent unis par les liens du mariage.

8.

A peine leur petite procession avait-elle pénétré dans l'enceinte du cimetière de Santa Maria que Louise découvrit les villageois massés dans l'ombre des cyprès, dans un silence respectueux. Aldo Barado était debout à l'entrée de l'église, en compagnie du prêtre.

Caesar avait eu raison. Ses grands-parents auraient été honorés d'une telle affluence pour accompagner leurs cendres à leur dernière demeure. Ils auraient été encore plus fiers, en voyant que ce n'était pas leur petite-fille qui menait la procession, mais leur *Ducu*, en personne.

Portant cérémonieusement l'une des deux urnes, ornées d'or, il marchait à pas lents. Près se lui, Oliver, vêtu d'un costume sombre, tenait la deuxième urne.

Tous deux avaient la même allure, la même démarche, observa Louise qui les suivait, comme il était de coutume dans la culture sicilienne. Derrière elle, Anna Maria, son époux et ses fils, avançaient en courbant la tête, tout comme les villageois qui leur avaient emboîté le pas.

Quelle ne fut pas la surprise de Louise en constatant que Caesar ne s'engageait pas dans l'allée menant à la partie du cimetière où étaient creusées les nouvelles tombes. Au lieu de cela, il se dirigea vers la masse imposante de la crypte où reposaient des générations de Falconari.

Ce fut Aldo Barado qui exprima l'étonnement que ressentait Louise. Il s'avança vers Caesar et demanda :

— Ils vont être inhumés avec les Falconari ?

— Exactement.

La façon dont Caesar soutenait le regard du vieil homme ne laissait aucun doute quant à l'autorité dont il était investi.

En le regardant, Louise songea que, si elle avait bien mûri depuis leur première rencontre, il en était de même pour lui. Aujourd'hui, il ne lui était plus nécessaire de se protéger derrière le masque arrogant dont il avait eu besoin jadis afin d'endosser un rôle encore trop lourd pour le jeune homme qu'il était. Le Caesar qu'il était devenu avait pris en main son destin. Il n'avait plus peur d'imposer ses décisions.

— Ils sont désormais liés aux Falconari, puisque j'ai épousé leur petite-fille, et que leur sang coule dans les veines de mon fils, déclara-t-il d'un ton ferme à un Aldo Barado médusé. C'est ici qu'ils doivent reposer.

Louise se rendit compte que les villageois qui écoutaient étaient aussi impressionnés qu'elle. En déposant les cendres de ses grands-parents dans le caveau des Falconari, Caesar les lavait de tout opprobre. Elle ne pouvait s'empêcher de lui en être reconnaissante.

Après la cérémonie, tout le monde se retrouva sur la place du village, où un buffet avait été dressé à l'ombre fraîche des oliviers.

Louise était certaine d'être le centre de l'attention de toutes les femmes, qui devaient inévitablement la jauger avec méfiance. En tout cas, se dit-elle, elles ne faisaient pas mystère de leurs sentiments au sujet d'Oliver.

— C'est son père tout craché ! claironna une matrone d'un ton approbateur. Cet enfant est un Falconari jusqu'au bout des ongles !

Il était indéniable qu'Oliver était tout le portrait de son père, songea Louise. Et comme il prenait un plaisir non dissimulé à être en sa compagnie !

— Ils sont si heureux, ensemble, observa Anna Maria

qui était venue la rejoindre sur le banc où elle s'était mise à l'écart.

Louise acquiesça, en suivant des yeux Caesar et son fils qui allaient de table en table. A les contempler, elle se laissait envahir par un sentiment de paix et de plénitude. Peu importait ce qu'elle ressentait. Epouser Caesar avait été la meilleure décision qu'elle eût prise pour assurer le bonheur de son fils. N'avait-il pas, d'ailleurs, perdu cette attitude d'hostilité maussade qui l'avait tant inquiétée ? A présent, il se montrait tendre et protecteur à son égard. Elle devinait déjà le jeune homme qu'il deviendrait sous la conduite affectueuse et avisée de son père. Car Caesar aimait son fils de toute son âme, même s'il n'éprouvait rien pour elle.

Soudain, ce fut comme si elle avait reçu un coup de poing en pleine poitrine. La douleur fut si intense qu'elle y porta la main.

Pourquoi cette pensée la bouleversait-elle à ce point ?

Elle n'avait que faire de l'amour de Caesar. Cela n'aurait eu de sens que si elle éprouvait la même chose à son égard. Or elle *n'aimait pas* Caesar. Elle *ne devait pas* l'aimer.

Les émotions qu'elle ressentait ne lui étaient inspirées que par tous ces souvenirs du passé qui ne cessaient de remonter à la surface. Il était inimaginable qu'elle eût continué à aimer Caesar, malgré elle, tout au long de ces années. Comme si cet amour était resté endormi au plus profond de son être, et s'était réveillé à peine ce dernier avait-il resurgi dans sa vie. C'était inconcevable !

— Tu es toute pâle. Tout va bien ?

Caesar semblait s'être matérialisé comme par magie près d'elle, alors même qu'elle était en proie à ces pensées confuses. De plus, il s'était adressé à elle en adoptant le tutoiement dont ils étaient convenus qu'il était de mise entre eux en public, ajoutant encore à son embarras.

— Oui, ça va, répondit-elle d'une voix saccadée.

Caesar fronça les sourcils.

— On ne dirait pas. Cela a été une journée difficile pour toi, je le sais.

Bien plus difficile qu'il ne l'imaginait, songea Louise, mais pas pour les raisons qu'il croyait. Certes, l'inhumation des cendres de ses grands-parents avait été un moment chargé d'émotion. Cependant, elle avait été portée par le sentiment du devoir accompli et par la fierté que lui procurait son fils. Non, ce qui faisait qu'elle se sentait vulnérable, c'étaient toutes ces pensées qui la tourmentaient, et qu'elle ne parvenait pas à chasser.

Cela avait été une longue journée, et Louise sentait monter la migraine. Les garçons étaient couchés. Oliver s'était endormi au milieu d'une phrase, pendant qu'il lui racontait tout ce que Caesar lui avait appris au fil des heures. Réprimant un bâillement, elle quitta la salle de bains et se dirigea vers le lit. Caesar était resté dans le salon avec Anna Maria pour mettre au point un court séjour qu'il envisageait de faire à Rome afin de faire découvrir la Ville éternelle à son fils. Elle appréciait qu'il ait pris l'habitude de retarder le moment où il regagnait sa suite pour lui laisser le temps de se coucher. Elle lui était aussi reconnaissante de ne faire aucune tentative pour la séduire.

Finirait-il par chercher une maîtresse, pour assouvir des besoins somme toute naturels ? Cette idée ébranla tellement Louise qu'elle se figea au pied du lit. Pourquoi lui était-ce à ce point insupportable ? se demanda-t-elle. Sans doute parce qu'elle ne voulait pas qu'Ollie grandisse en pensant que c'était là un comportement acceptable.

Tu mens, tu mens, railla la petite voix au tréfonds d'elle-même.

La migraine martelait maintenant ses tempes, et elle

aurait donné n'importe quoi pour une bonne tasse de thé. La suite comportait un petit coin cuisine qui servait à Caesar lorsqu'il travaillait tard et ne voulait pas déranger son personnel à des heures indues.

C'était aussi quelque chose que Louise avait découvert chez lui, cette sollicitude à l'égard des gens qui travaillaient pour lui.

Elle enfila le peignoir de soie assorti à la chemise de nuit raffinée que Caesar avait fait venir de Rome pour elle.

Un rapide coup d'œil dans les placards de la petite cuisine lui révéla que l'on avait pris la peine d'y faire des réserves de véritable thé anglais. Quelques minutes plus tard, emportant une tasse du précieux breuvage, Louise reprit le chemin de la chambre avec un soupir de satisfaction. Elle s'immobilisa en voyant s'ouvrir les portes de la suite, laissant le passage à Caesar.

A la façon dont il fronça les sourcils en la trouvant « chez lui », Louise songea qu'elle n'y était visiblement pas la bienvenue.

— Je suis désolée, s'excusa-t-elle. J'avais juste besoin d'une tasse de thé.

Elle accéléra le pas, et passa devant Caesar, mais se sentit contrainte d'ajouter :

— Je vous remercie de ce que vous avez fait pour mes grands-parents, aujourd'hui.

D'une certaine façon, il leur était encore naturel de revenir au vouvoiement lorsqu'ils se retrouvaient seuls.

— Ce n'est pas pour eux que je l'ai fait.

Que voulait-il dire ? se demanda Louise. Que c'était pour *elle* qu'il avait fait cela ? Certainement pas !

Ou bien, songea-t-elle, horrifiée, était-ce sa façon de lui signifier qu'il voulait que les choses aillent plus loin entre eux ?

En tout cas, si elle avait pensé un instant qu'il avait agi par respect à l'égard de ses grands-parents, elle s'était bien trompée !

— Bien sûr, rétorqua-t-elle d'un ton cassant. Je suppose que vous n'aviez en tête que l'honneur des Falconari.

— Je pensais avant tout à Oliver.

— Il vous ressemble tant, lâcha Louise, presque malgré elle. Je ne sais plus combien de personnes m'en ont fait la remarque aujourd'hui.

— Tout ce que je sais, moi, c'est qu'Oliver a eu beaucoup de chance de pouvoir profiter de l'amour d'une mère aussi dévouée que vous l'êtes.

Quelle surprise ! s'étonna Louise. Voilà que Caesar la gratifiait d'un compliment !

— Je ne voulais pas qu'il souffre comme j'ai souffert dans mon enfance, admit-elle sans détour. J'ai tenu à ce qu'il ait entière confiance en mon amour, et ne redoute jamais de le perdre.

— Est-ce pour cela qu'il n'y a jamais eu d'homme dans votre vie ? Je veux dire… après moi.

Pour essayer de dissimuler sa confusion, Louise prit une gorgée de thé. Comment pouvait-il en savoir autant sur sa vie ? De toute façon, il était hors de question qu'elle aborde ce sujet avec lui. Elle n'avait qu'une envie : aller s'enfermer dans la chambre. Pour échapper à ce sentiment de vulnérabilité que Caesar faisait naître en elle. Et pour se répéter encore une fois que si elle avait fait le choix d'une vie solitaire, cela n'avait rien à voir avec ce qui s'était passé entre eux. C'était uniquement pour protéger son fils.

Voyant que Louise demeurait muette, Caesar expliqua :

— Je sais tout cela parce que j'ai fait mener une petite enquête, lorsque j'ai appris l'existence d'Oliver.

Les yeux brillant de colère, Louise posa sa tasse sur une table basse, et lui fit face.

— Vous avez eu le culot de fouiller dans ma vie personnelle !

— Je n'avais pas le choix. Un jour, Oliver me succédera

et il aura besoin d'être respecté par les gens de ce pays. Il importait que je sache quelle a été sa vie, et la vôtre.

— Vous m'avez maintes fois répété cela. Mais je veux, pour mon fils, plus qu'un titre et un domaine. Si j'ai accepté ce simulacre de mariage, c'est pour qu'il ait avec son père la relation que…

— Que vous n'avez jamais eue avec le vôtre. Je l'ai bien compris. Et vous savez très bien qu'Oliver n'aura jamais à douter de mon amour. Sinon, vous ne m'auriez pas laissé m'introduire dans vos vies. Je vous connais assez pour en être persuadé.

Louise était trop en colère pour se laisser attendrir.

— Et qu'avez-vous appris d'autre sur mon compte ? lança-t-elle d'un ton de défi. Je suppose que vous cherchiez tout ce qui aurait permis de démontrer que je n'étais pas une bonne mère.

Certes, songea Caesar, c'était ce qu'il avait eu en tête dans un premier temps. Mais la compassion que lui avait inspirée ce qu'il avait découvert n'avait pas tardé à le détourner de ce projet.

— Tout ce que j'ai compris, répondit-il, c'est que je m'étais rendu coupable d'une épouvantable erreur de jugement. Celui qui était responsable de votre comportement, c'était votre père.

— Je n'ai pas besoin de votre pitié. Mon père avait toutes les raisons de ne pas vouloir de moi. Ma naissance avait brisé tous ses espoirs de carrière.

Dire que Louise était encore capable de prendre la défense de celui qui l'avait si injustement chassée de sa vie ! s'indigna Caesar.

Dans le regard qu'elle dardait sur lui, il vit briller un orgueil et une force de caractère qui le subjuguèrent.

En même temps, il ne pouvait ignorer cette fragilité qui la rendait si attachante. Il aurait tant voulu la prendre dans ses bras pour lui dire…

Lui dire quoi ? Qu'il n'était jamais parvenu à l'oublier,

malgré tous ses efforts pour y parvenir ? Qu'il n'avait jamais cessé de la désirer ? Qu'il souhaitait plus que tout donner une chance à leur couple ?

— Votre père aurait dû avoir honte de vous avoir traitée comme il l'a fait, dit-il d'une voix sourde. Et j'ai moi aussi bien des choses à me reprocher.

Cette affirmation était la dernière chose à laquelle Louise se serait attendue. Etait-il possible que Caesar soit véritablement touché par ce qu'elle avait enduré jadis ? Elle ne pouvait y croire.

— Je... je ne veux plus parler de cela, dit-elle.

Faisant volte-face, elle se dirigea vers la porte de la chambre, mais Caesar l'empêcha d'aller plus loin en lui barrant le passage.

— Louise !

Il était si proche qu'elle percevait le rythme effréné des battements de son cœur. Si proche, qu'elle avait conscience de toutes ces choses qu'elle voulait désespérément continuer à ignorer : la façon dont sa virilité la troublait, l'odeur de sa peau, cette petite flamme qui s'allumait en elle dès qu'il s'approchait...

Elle essaya de l'écarter pour passer, mais il tint bon.

Alors, sans comprendre comment, elle se retrouva dans ses bras.

Il se mit à l'embrasser avec avidité, comme dans une volonté forcenée de reprendre possession d'elle, et Louise répondit à ses baisers avec la même ardeur. Il l'étreignait si étroitement qu'elle sentait contre elle les muscles tendus de ses cuisses et la puissance de son érection.

Elle ne protesta pas lorsqu'il glissa les mains sous son déshabillé, pour caresser son dos que découvrait le décolleté profond de la nuisette.

En proie à une fièvre irrépressible, Louise était incapable de se refuser à Caesar.

Sous la pression de ses lèvres brûlantes, les siennes s'entrouvrirent et leurs langues se mêlèrent en un ballet d'une voluptueuse sensualité. Elle vibra d'un plaisir familier quand elle sentit contre elle son sexe durci. Le feu qui couvait au creux de son bas-ventre devint un brasier incandescent. Elle mourait d'envie de caresser tout son corps, comme elle l'avait fait par le passé. Elle voulait laisser glisser ses doigts, et ses lèvres, sur le satin de sa peau nue, et qu'il en fasse de même avec elle.

Surgi du fin fond de son être, un besoin incoercible avait raison de toutes ses réticences. Tout ce qu'elle croyait avoir appris au fil des années s'effaçait pour laisser place à l'urgence d'un désir que seul Caesar était capable d'éveiller en elle.

— Louise…

Il murmurait son nom avec une exaltation où se mêlaient douceur et fébrilité, comme si elle était la seule femme qu'il eût jamais désirée. Et sa voix, rauque et veloutée, était une musique qui ensorcelait Louise.

Caesar fit glisser son peignoir, puis la bretelle de sa chemise de nuit le long de son épaule, et ses lèvres suivirent le même chemin, tandis qu'il titillait du pouce le téton qu'il venait de dévoiler.

Dix années s'étaient écoulées depuis cette nuit où il lui avait prodigué les mêmes affolantes caresses, mais il semblait à Louise que son corps n'avait rien oublié de ces grisantes sensations. Comme si le souvenir en avait été imprimé de manière indélébile sur sa peau.

Elle laissa échapper un petit cri de plaisir lorsqu'il captura le mamelon gorgé de désir entre ses lèvres.

Ce qu'elle ressentait sous ses caresses était exactement ce qu'elle avait, à la fois, redouté et souhaité.

Il était trop tard pour empêcher ce à quoi elle aspirait avec tant d'ardeur, et qui était inéluctable.

Lorsque Caesar releva la tête, et planta son regard dans le sien, elle ne put plus y résister.

Fiévreusement, elle défit les boutons de sa chemise. Avec des gémissements étouffés, elle promena ses doigts sur son torse sculptural. Avec timidité d'abord, puis avec plus d'audace, lorsqu'elle vit le tressaillement qui agitait sa mâchoire, et entendit le râle sourd qui montait de sa gorge.

Il n'était que justice, se dit-elle, que les caresses qu'elle lui dispensait le mènent au même paroxysme d'excitation que ce qu'elle connaissait.

Une nouvelle flambée d'émotions la submergea à l'idée qu'il lui fallait profiter sans attendre de ce que Caesar lui offrait, avant qu'il ne la rejette une nouvelle fois.

Elle se refusait à prêter l'oreille à la petite voix qui, au fond d'elle-même, la mettait en garde contre les souffrances qu'elle endurerait inévitablement. Elle ne voulait écouter que les protestations de ses sens, avides de mettre un terme à des années de frustration.

L'instinct, plus que l'expérience, lui fit effleurer de ses lèvres la base de son cou, puis son épaule, tandis qu'elle écartait les pans de sa chemise.

Un frémissement la parcourut tout entière, tant l'odeur de sa peau nue lui paraissait le plus enivrant des aphrodisiaques.

Son cœur s'accéléra lorsqu'elle s'enhardit à poser les mains sur la ceinture de son pantalon, prête à explorer sa magnifique virilité.

Après tout, pensa-t-elle, Caesar pouvait l'empêcher d'aller plus loin, si tel était son désir. Mais il n'en fit rien.

Alors, elle oublia tout, et se livra sans retenue à l'exaltation que lui procurait le doux contact de sa toison intime, la vision de son sexe dressé palpitant du même besoin que celui qui la faisait vibrer.

— *Caesar*, souffla-t-elle.

Cette supplique, à peine murmurée, suffit à ce qu'il la prenne dans ses bras pour l'emporter jusqu'au lit, où il la déposa avant d'arracher leurs vêtements à tous deux, jusqu'à ce qu'ils soient nus, l'un contre l'autre, baignés de la chaleur de leur désir mutuel.

De nouveau, Caesar s'empara de sa bouche avec une faim sauvage et douce, à laquelle elle ne pouvait que céder.

Lorsqu'il referma ses paumes sur ses seins, Louise laissa échapper une plainte impatiente.

Il abandonna alors ses lèvres pour déposer une pluie de baisers tout le long de sa gorge, et derrière son oreille, ce qui lui arracha un cri étouffé. Sa bouche descendit jusqu'à sa poitrine, puis emprisonna un mamelon qu'il tourmenta du bout de la langue, menant Louise au bord du vertige.

— Oh ! non, Caesar, gémit-elle. C'est trop !

— Moi non plus, murmura-t-il, je n'en peux plus… Je te désire tant !

Ses lèvres tracèrent un sillon de feu sur le ventre de Louise, glissant toujours plus bas vers les profondeurs de sa moiteur secrète.

Comme pour soulager l'exquise douleur qui y palpitait, elle posa sur sa toison une main apaisante. Peine perdue ! Caesar glissa sa langue entre ses doigts écartés, et Louise ne put retenir un cri lorsqu'il la passa sur le bouton gonflé de désir.

L'habileté diabolique de cette langue fit monter en elle des vagues de plaisir qui l'emportaient toujours plus haut vers la jouissance ultime.

Cambrée, pantelante, elle l'implorait de faire cesser cette délectable persécution, d'assouvir ce besoin qui la consumait.

Ignorant ses supplications, il poursuivit inexorablement son œuvre enivrante jusqu'à ce qu'explose en elle un orgasme d'une intensité fabuleuse. Terrassée par la jouissance, elle retomba sur les oreillers.

Comme elle aimait cet homme ! Elle ne pouvait plus se le cacher.

Soudain, elle se figea, puis repoussa Caesar. Se

redressant brusquement, elle agrippa sa chemise de nuit d'une main tremblante avant de s'enfuir vers la salle de bains dont elle verrouilla la porte. Le souffle court, elle se laissa glisser au sol, tout en portant les mains à sa poitrine dans une vaine tentative pour calmer les battements désordonnés de son cœur.

Le sentiment de s'être précipitée de son propre gré dans un piège épouvantable la pétrifia.

Il ne fallait pas qu'elle se laisse aller à aimer Caesar. C'était impossible !

Heureusement qu'elle avait eu la présence d'esprit de le fuir avant qu'il ne soit trop tard !

Sinon, elle aurait pu s'humilier jusqu'à lui avouer son amour.

De l'autre côté de la porte, elle l'entendait qui l'appelait, la conjurant d'ouvrir.

— Non ! s'écria-t-elle. Vous n'auriez jamais dû me toucher. Cela ne faisait pas partie de notre pacte.

Certes, Louise disait vrai, admit Caesar. Mais, pour l'instant, il tremblait de désir pour elle, et ne pouvait que s'étonner de l'intensité de ce qu'il ressentait.

— Je ne vous ai obligée à rien, Louise, plaida-t-il.

— Laissez-moi !

Anéantie, Louise prenait toute la mesure de ce qui lui arrivait.

Elle avait fini par tomber amoureuse de l'homme que Caesar était devenu. Mais cela la mettait dans une abominable situation de faiblesse, car lui ne l'aimait pas. Elle ne le savait que trop !

Dans la chambre, Caesar ramassa le peignoir de Louise et en huma le parfum.

Tout son corps vibrait encore de la tempête qu'elle y avait déclenchée. Quoi qu'elle en dise, il ne doutait pas qu'elle ait vécu la même chose que lui. Sauf qu'elle n'éprouvait que du désir, tandis qu'il commençait à se rendre compte qu'il en était tout autrement pour lui.

Il ne pouvait plus se voiler la face : il aimait Louise. Pendant des années, il avait voulu se persuader que cet amour était mort. Il n'en était rien.

9.

— Tu es certaine que tu ne veux pas venir avec nous à Rome ? demanda Anna Maria. Il est encore temps de changer d'avis.

Il était 2 heures de l'après-midi, et ils étaient tous rassemblés dans le hall du *castello*. Anna Maria et sa famille, ainsi que Caesar et Oliver, se préparaient à partir pour l'aéroport où les attendait un jet privé.

— Non, vraiment. Je ne peux pas. Il faut que je mette à jour des dossiers, pour les envoyer de toute urgence à Londres.

Ce n'était pas tout à fait vrai. Louise n'ignorait pas que ses employeurs ne la pressaient nullement de rendre les rapports qui lui avaient été confiés avant son départ d'Angleterre. Mais elle ne se sentait pas de taille à supporter la proximité avec Caesar que ce voyage lui imposerait. Comment aurait-elle pu faire confiance à son propre corps, alors même qu'il semblait obéir à une force qu'elle ne maîtrisait pas ?

De toute évidence, il n'appréciait pas qu'elle décline la proposition de sa cousine. Il n'était qu'à voir la mimique sévère qu'il affichait. Manifestement, le prétexte que Louise avait avancé ne le convainquait pas. Tout ce qu'elle espérait, c'était qu'il ne se doutait pas des véritables raisons qui lui faisaient refuser ce voyage.

Trois jours, à peine, s'étaient écoulés depuis qu'elle avait été contrainte de s'avouer qu'elle était amoureuse de

Caesar. Elle les avait vécus dans la terreur qu'il découvre son secret, et avait fait tout son possible pour rester à bonne distance de lui.

Toujours était-il qu'elle passait une bonne partie de ses nuits à se morfondre dans son lit — le lit de Caesar —, obsédée par l'idée que, jamais, elle ne pourrait lui laisser voir ses sentiments. Comment l'aurait-elle pu, puisque jamais il ne l'aimerait ?

— Eh bien, si tu es sûre…

Louise sourit affectueusement à Anna Maria pour la rassurer.

— Oui, c'est mieux comme ça. Et puis cela fera du bien à Caesar et à Ollie d'être un peu en tête à tête.

Lorsque ce fut le tour de Caesar de lui dire au revoir, il murmura à son oreille d'un ton ironique :

— Ne me prenez pas pour un imbécile ! La seule raison qui vous fait préférer rester ici, c'est d'être débarrassé de moi pendant quelques jours.

— Allons, railla Anna Maria, voilà encore nos amoureux qui se disent des mots doux à l'oreille !

Tenant Louise par les épaules, Caesar s'inclina pour déposer un rapide baiser sur ses lèvres.

Comme elle aurait aimé qu'il l'embrasse vraiment ! se désola Louise. Pour un peu, elle aurait noué les bras autour de son cou pour le retenir.

Caesar lâcha Louise en se disant que, s'il n'y prenait garde, il allait céder à l'envie de l'emporter dans ses bras, jusqu'à son lit.

Seul l'amour pouvait expliquer ce besoin forcené qu'il avait d'elle. Cet amour viscéral qu'il n'avait jamais réussi à étouffer en lui, et qui avait resurgi avec force dès qu'il l'avait revue.

Pourquoi fallait-il qu'elle le repousse ? Il savait qu'elle le désirait. Son corps ne l'avait-il pas trahie, l'autre nuit ?

Un instant, il hésita à la quitter, mais Oliver le rappela à l'ordre :

— Tu viens, papa ? On va être en retard.

En haut du perron, Louise regarda les deux voitures s'éloigner, un sourire figé aux lèvres.

Il y avait une bonne heure de route jusqu'à l'aéroport. Caesar avait dans sa voiture Oliver, et le plus jeune des fils de sa cousine. Celle-ci, son mari, et leurs deux autres fils faisaient le trajet ensemble.

Les deux garçons n'avaient pas cessé de bavarder depuis le départ quand, soudain, Carlo s'interrompit, puis désigna le ciel du doigt.

— Regarde ces gros nuages ! s'exclama-t-il. Il va y avoir un orage terrible au *castello*. Pas vrai, oncle Caesar ? Tu te souviens, l'année dernière ? Qu'est-ce qu'on a eu peur, quand la foudre est tombée sur l'arbre !

Caesar jeta un coup d'œil dans le rétroviseur, et constata que l'enfant disait vrai. Le ciel, en direction du *castello*, était des plus menaçants.

Oliver était devenu très pâle. Visiblement, il craignait les orages, songea Caesar. Il aurait voulu le réconforter, mais préféra attendre qu'ils soient arrivés à destination. Il ne voulait pas l'embarrasser devant son cousin.

Dès qu'ils furent dans l'aéroport, il s'arrangea pour s'éloigner un instant avec lui.

— Tu n'as pas à avoir peur, Ollie, dit-il en posant une main rassurante sur son épaule. Nous sommes loin de l'orage.

— Moi, ça m'est égal. Mais c'est maman. Elle a très, très peur du tonnerre et des éclairs. Un jour, je l'ai vue à Londres, elle tremblait et elle pleurait. Elle savait pas que j'étais là. Elle veut pas qu'on la voie quand elle a peur comme ça. Grand-papa m'a expliqué que…

Il s'interrompit, l'air gêné.

A voir son petit visage anxieux, Caesar eut envic d'en savoir plus. Cela concernait Louise.

— Qu'est-ce qu'il t'a expliqué ?

— Tu lui diras pas que je t'en ai parlé ? Elle veut pas qu'on le dise...

— Ne t'inquiète pas. Mais il faut que je sache. C'est mon rôle maintenant de protéger ta maman.

Oliver leva vers Caesar un regard plein de confiance.

— C'est vrai. C'est pas pareil que je te le dise à toi. Grand-papa m'a raconté que, quand elle était petite, il y avait eu un orage affreux, et la foudre était tombée tout près de sa maison. Elle était dehors en train de jouer. Alors, elle est rentrée en courant vers son papa. Mais il travaillait, et il s'est mis très en colère. Et comme elle arrêtait pas de pleurer, il l'a enfermée dans un placard, sous l'escalier, jusqu'à la fin de l'orage. Depuis, elle déteste être toute seule quand il y a des éclairs.

Serrant son fils contre lui, Caesar ferma les yeux pour surmonter son indignation. Quelle cruauté à l'égard d'une enfant !

— Sois rassuré, dit-il. Ta maman ne restera pas seule.

Rattrapant Anna Maria dans le hall de l'aéroport, il lui confia Oliver.

— Il faut que je retourne au *castello*, dit-il. Partez sans moi, je vous rejoindrai.

— J'étais sûre que tu retournerais chercher Louise, se moqua gentiment Anna Maria. Sois sans crainte, nous prendrons soin d'Oliver.

Sans plus attendre, Caesar regagna en hâte sa voiture. Il essaya d'appeler le *castello*, mais en vain. Il n'était pas rare qu'en de telles circonstances, les communications soient coupées.

Pensant à la terreur que devait ressentir Louise, il appuya sur la pédale d'accélérateur.

*
* *

Le ciel s'était couvert d'un seul coup, mais ce fut seulement quand elle entendit les premiers grondements du tonnerre que Louise sentit monter la frayeur que lui inspiraient les orages. La bouche sèche, le cœur battant la chamade, elle ne pouvait détacher les yeux des fenêtres ouvrant sur la montagne.

Dans le grand salon, elle trouva la gouvernante.

— Je monte me reposer, dit-elle d'une voix qu'elle s'efforça de maîtriser.

— Très bien, madame. Vous ne serez pas dérangée. Oh ! ces orages, quelle calamité !

Louise ne put s'empêcher d'avoir honte de son incontrôlable terreur. Comme autrefois, quand son père s'était moqué d'elle, et l'avait punie, au lieu de la protéger comme il l'aurait dû.

Ses années de thérapie n'y avaient rien changé. Elle continuait à avoir une peur panique des orages et redoutait surtout de ne pas parvenir à se maîtriser en public. Curieusement, les seuls endroits où elle se sentait à l'abri étaient des lieux clos et sombres.

Elle se hâta le long de la grande galerie, où les éclairs semblaient la poursuivre de fenêtre en fenêtre, jusqu'à la suite de Caesar.

L'orage était presque au-dessus du *castello*, maintenant. Un éclair déchira de haut en bas le ciel de plomb, et une lueur aveuglante illumina la cour. Le fracas assourdissant du tonnerre lui fit porter les mains à ses oreilles.

Sans plus réfléchir, elle se précipita dans le vestiaire de Caesar, et referma la porte derrière elle. La petite pièce sans fenêtres était imprégnée du parfum de Caesar, et elle en fut étrangement rasséréné. A tâtons, elle alla s'asseoir sur le canapé placé en son centre, et s'y pelotonna.

*
* *

Caesar pesta entre ses dents, contre la pluie diluvienne que les essuie-glaces arrivaient à peine à évacuer. A travers les éclairs, la masse sombre du *castello* se dessinait contre le ciel. Il immobilisa la voiture au pied du perron, dont il gravit les marches quatre à quatre.

Dans le hall, la gouvernante donnait des ordres au personnel rassemblé, pour que l'on aille chercher des bougies. Sans leur laisser le temps de s'étonner de son retour, Caesar demanda :

— Ma femme ? Où est-elle ?

— Dans votre suite, Excellence. Elle a demandé à ne pas être dérangée.

Les grondements du tonnerre étaient assourdissants. Louise devait être morte de peur, se dit-il, le cœur serré, en se hâtant le long de la galerie.

Dans la demi-pénombre, il parcourut les pièces de sa suite, en se maudissant de n'avoir rien prévu pour s'éclairer. Mais il n'y avait pas le moindre doute : elles étaient désespérément vides. Où donc pouvait bien être Louise ?

Le dernier endroit qu'il n'avait pas exploré était son dressing-room. Etait-ce là qu'elle avait cherché refuge ? C'était peu probable ! Mais, en désespoir de cause, il ouvrit la porte avec précaution, ne voulant pas l'effrayer davantage si elle s'y trouvait.

A la lueur des éclairs, il vit Louise, roulée en boule sur le petit canapé, une de ses vestes la recouvrant presque entièrement.

Un amour infini s'empara de lui, et il avança très doucement, n'osant prononcer son nom que lorsqu'il fut accroupi auprès d'elle.

Louise ne comprit pas pourquoi elle voyait, tout à coup, à travers ses paupières closes, la clarté blême des éclairs.

Rêvait-elle ? Et cette voix ! Non, ce ne pouvait être

Caesar. Il était loin. Il ne servait à rien de souhaiter plus que tout au monde qu'il soit là.

Devenait-elle folle ?

Soudain, un coup de tonnerre fit trembler toute la pièce. Louise poussa un cri strident, et se raidit. N'y tenant plus, Caesar s'assit à côté d'elle pour la prendre dans ses bras.

Elle tremblait de la tête aux pieds, et, en la voyant si fragile, il sentit les larmes lui monter aux yeux. Comment avait-il pu se persuader qu'il ne ressentait rien pour elle ? Comment avait-il été assez fou pour la livrer à la vindicte publique, et se détourner d'elle ?

Elle frissonna, lorsqu'un nouveau coup de tonnerre résonna au-dessus de leur tête.

— Tout va bien, Lou, lui dit-il. Je suis là. Tu n'as plus besoin d'avoir peur.

Caesar ? Il était là ? Il avait vu ce qu'elle avait toujours caché à tout le monde ?

Un gémissement de désespoir s'échappa de ses lèvres, et elle essaya d'échapper à son étreinte. Mais il ne la laissa pas faire. Bien au contraire, il la serra plus étroitement contre lui.

C'était à n'y pas croire ! Caesar la tenait enlacée.

Et les paroles qu'il lui murmurait auraient pu lui laisser imaginer qu'il éprouvait pour elle de tendres sentiments.

Mais non, elle devait se tromper. Seul Oliver comptait pour lui.

Oliver ? Elle se redressa d'un seul coup.

— Où est Oliver ? Il est arrivé quelque chose ?

— Non, rassure-toi. Il est certainement à Rome à l'heure qu'il est.

Caesar passa la main sous son menton, et leva son visage vers lui avec une infinie douceur.

— Si je suis revenu, expliqua-t-il, c'est qu'il m'a confié à quel point tu as peur de l'orage. Ne lui en veux pas. C'est moi qui ai insisté pour qu'il parle, quand j'ai vu qu'il s'inquiétait pour toi.

Sentant que Louise cherchait à s'écarter de lui, il resserra tendrement son étreinte.

— Tu n'as pas besoin de te cacher, dit-il. C'est moi qui devrais avoir honte. J'ai tant de choses à me reprocher. En premier lieu, je n'aurais jamais dû me comporter avec toi comme je l'ai fait, il y a dix ans. J'ai été aussi cruel que l'avait été ton père.

— Je ne veux pas parler de ça, s'affola-t-elle.

— Il le faudra pourtant, si nous voulons nous donner quelque espoir de construire un couple heureux, et amoureux.

Amoureux ?

Louise écarquilla les yeux, tandis que Caesar poursuivait d'une voix émue :

— Car c'est bien ce que nous voulons, toi et moi, n'est-ce pas ? Une vie pleine d'amour ?

— Ce n'est pas parce que je t'aime que...

Caesar ne la laissa pas aller plus loin dans ses protestations.

— C'est vrai ? l'interrompit-il. Tu m'aimes ? Oh ! Louise ! Mon amour ! Ma si douce, si précieuse épouse...

Mais que lui arrivait-il ? se demanda Louise, le cœur battant de joie, d'espoir et d'incrédulité, tandis que Caesar l'embrassait tendrement, serrant son visage entre ses mains.

Comment était-ce possible ? Rêvait-elle ?

— Caesar ? dit-elle d'une voix hésitante.

Aussitôt, comprenant sa confusion, il cessa de l'embrasser, et la prit tendrement dans ses bras.

— Je sais ce que tu penses, ma chérie, dit-il. Comment pourras-tu jamais me pardonner ? Mais je ferai tout ce qui est en mon pouvoir pour te prouver que je t'aime. Et que je t'ai aimée depuis les tout premiers instants.

Louise ne put retenir un soupir incrédule, et elle fit

mine de s'écarter de lui, pourtant Caesar ne desserra pas ses bras.

— Oui, Lou. J'ai été cruel envers toi. Et j'ai été lâche, aussi. Il m'a manqué le courage de reconnaître — et de m'avouer à moi-même —que j'étais amoureux de toi. Tout cela, parce que tu bousculais tous les a priori, tous les préjugés, sur lesquels je m'étais construit. Tu n'étais pas…

— Le genre de fille avec laquelle un garçon comme toi pouvait souhaiter faire sa vie ?

— Oui. Et, du coup, j'ai fait confiance au jugement des autres, au lieu d'écouter ce que mon cœur me disait. J'ai choisi la facilité. Je ne me le pardonnerai jamais.

La sincérité de Caesar frappa Louise au cœur.

— Je ne t'en veux pas, Caesar, dit-elle, s'étonnant elle-même que cela fût vrai. De mon côté, je n'ai pas été tout à fait honnête avec toi. Je t'ai utilisé pour essayer de gagner l'amour de mon père. Ce n'est qu'ensuite que…

— Que tu es tombée amoureuse de moi ?

Louise détourna le regard. Pouvait-elle prendre le risque d'un tel aveu ? N'était-ce pas s'exposer à de nouvelles souffrances ?

— Louise, regarde-moi. Je t'en prie !

Lorsque Caesar lui prit le menton pour l'obliger à se tourner vers lui, ce qu'elle lut dans ses yeux la bouleversa. Etait-ce donc si important pour lui de savoir ? Comptait-elle à ce point pour lui ?

— Oui, répondit-elle avant de perdre le courage de le faire. Ce n'est que plus tard que j'ai découvert combien je t'aimais.

— Dire que j'ai été assez fou pour piétiner cet amour ! Mais ton souvenir n'a jamais cessé de me hanter. Et, aujourd'hui, j'ai su qu'il fallait que je sois auprès de toi. Je ne pouvais pas t'abandonner une nouvelle fois.

— C'est vrai ? Tu es revenu exprès pour moi ? Tu m'as fait passer avant toute autre chose ?

— Oui. Et c'est ce que j'aurais dû faire il y a bien

longtemps. Mais le désir que tu m'inspirais me terrifiait, Louise. Je croyais qu'un Falconari ne devait pas céder à de telles émotions. J'étais jeune, et terriblement orgueilleux. Crois-tu que tu pourras me donner une deuxième chance ? Celle de me montrer digne de toi ?

— Oh ! Caesar !

Tout ce que Louise ressentait pour Caesar était contenu dans ces deux mots. Un simple aveu de l'amour qu'elle lui portait.

— Viens voir, mon amour, dit-il en lui prenant la main. L'orage est fini.

Par la fenêtre de la chambre, ils virent que les nuages s'étaient dissipés, et qu'un magnifique clair de lune brillait dans le ciel clair.

— Un orage est fini, dit Caesar en se penchant vers elle pour l'embrasser, mais il y en a un autre qu'il nous faut apaiser. Si tu me juges digne de cela ?

La soulevant du sol, il l'emporta jusqu'au lit, et l'y déposa.

— Oui, Caesar, répondit-elle, rivant son regard au sien. Je te fais confiance.

Tout d'abord, il prit ses lèvres avec une délicieuse sensualité. Puis, très vite, leurs bouches s'unirent en un baiser plein de fièvre. Louise avait l'impression de pouvoir enfin donner libre cours à une passion trop longtemps contenue.

Un instant, la crainte de se laisser emporter par quelque chose qu'elle ne maîtrisait pas l'envahit de nouveau. Comme s'il avait senti sa réticence, Caesar murmura à son oreille :

— Tout va bien, ma chérie. Je t'aime, et je ne t'abandonnerai jamais. Tu es en sécurité avec moi.

En sécurité ? Quand elle se sentait prête à s'abandonner à lui complètement ?

— Je te désire tant ! osa-t-elle avouer.

Rassuré par ce qui lui semblait être un consentement,

Caesar entreprit de la dévêtir avec douceur, couvrant de baisers sa peau nue, au fur et à mesure qu'il la dévoilait.

Louise frémit de la tête aux pieds.

A son tour, elle s'aventura à l'aider à se débarrasser de ses vêtements. Peu à peu, grisée de sentir ses muscles bandés sous ses doigts et sous ses lèvres, elle s'enhardit.

Prenant entre ses mains son sexe dressé, elle se risqua à des caresses qui le firent durcir encore davantage. Avec ravissement, elle sentait sous ses paumes le sang y affluer, et son cœur suivit ce rythme entêtant.

— Je t'aime, murmura-t-elle.

Dans la tendresse passionnée avec laquelle il l'embrassa, transparaissait une telle vulnérabilité qu'elle en fut émue aux larmes.

Caesar fut secoué d'un frisson de plaisir, lorsqu'il prit un téton gonflé dans sa bouche, et que Louise s'arc-bouta pour s'offrir en toute impudeur.

Elle était prête à se donner, et une montée d'adrénaline le submergea avec une violence primitive.

D'une main, il écarta ses cuisses, sans cesser de vriller son regard au sien, fasciné d'y lire un tel abandon.

Ses doigts explorèrent délicatement la chaude moiteur au cœur de sa féminité, et Louise laissa échapper un petit cri d'extase quand ils effleurèrent le bourgeon qui s'y cachait.

— Caesar…

Elle ne pouvait attendre davantage, et elle l'attira à elle, tremblante d'excitation, pour nouer ses jambes autour de sa taille.

Caesar, lui non plus, n'y tenait plus. Lorsqu'il se glissa en elle, ce fut comme s'il retrouvait une sensation familière, trop longtemps oubliée.

Ensemble, ils commencèrent à onduler, tout d'abord en silence, puis avec des gémissements de plaisir.

Ce fut dans une harmonie parfaite qu'ils se laissèrent

porter jusqu'à un vertigineux sommet, où pendant quelques secondes ils ne firent plus qu'un.

Plus tard, lorsqu'ils eurent repris leur souffle, lovée contre Caesar, Louise lui confessa sans retenue tout l'amour qu'elle lui portait.

— Je ne te mérite pas, murmura Caesar, attendri. Mais je ferai tout mon possible pour y parvenir. Mon seul regret est que je ne pourrai pas te donner d'autre enfant.

— Tu m'as donné Oliver, et tu m'as donné ton amour. Que pourrais-je désirer de plus ?

Un rayon de lune joua sur le torse de Caesar, et Louise posa avec ferveur ses lèvres à cet endroit.

Il ne s'écoula pas longtemps avant que leur désir renaisse, et qu'ils s'agrippent l'un à l'autre en une danse lascive, se murmurant de doux mots d'amour, dans la certitude partagée que le passé était bel et bien oublié.

Epilogue

Dix-huit mois plus tard

— Regarde donc Caesar et Ollie, en train de montrer Francesca à tout le monde. Il ne doit pas y avoir plus fiers que ces deux-là dans tout le vaste monde !

Anna Maria éclata de rire, et se tourna vers Louise. Toutes deux suivirent du regard le père et le fils qui promenaient crânement la petite sœur d'Ollie parmi les invités qui se pressaient à son baptême. Le grand salon du *castello* était bondé.

La petite fille avait maintenant quatre mois, et son père continuait à dire qu'elle était l'enfant du miracle. Un cadeau du destin, comme le leur avait expliqué le gynécologue quand, à leur grande surprise, il s'était avéré que Louise était enceinte.

— C'est toi qui as rendu possible ce prodige, avait dit Caesar à Louise, des larmes de joie dans les yeux. Toi, grâce à ton amour, et à tout ce que tu es.

Caesar vint lui ramener Francesca, et Louise la prit dans ses bras avec la même émotion, et la même joie, que lorsqu'on la lui avait tendue à la clinique. La naissance de cette enfant nouait entre elle et son mari un lien encore plus fort.

Un instant, elle songea à sa propre mère qu'elle avait invitée pour l'occasion. Cette dernière avait décliné, en promettant une visite à venir, qui ne se concrétiserait certainement jamais.

— Ton père est là, vint lui annoncer Caesar.

Louise sentit son cœur faire un bond dans sa poitrine.

Celui-ci lui avait écrit, peu de temps avant qu'elle ne mette Francesca au monde. Apparemment, il se retrouvait seul, abandonné par Melinda, qui avait fui avec un homme plus jeune.

C'était Caesar qui avait suggéré que le temps était peut-être venu d'enterrer les vieilles querelles. Louise avait accédé à ses exhortations, et répondu à la lettre.

Peu à peu, une correspondance hésitante s'était établie entre elle et le vieil homme. Lorsqu'il avait exprimé le désir de faire la connaissance de ses petits-enfants — il n'avait plus d'autre famille, désormais, avait-il plaidé — Louise s'était laissé convaincre de l'inviter.

Et voilà qu'il était à l'autre bout de la pièce.

Même de loin, il était visible que c'était un homme cassé, humilié par la désertion de sa femme. Louise ne put s'empêcher d'éprouver de la pitié pour lui. Sans réfléchir, elle traversa le salon, Francesca dans les bras. Il ne lui était pas nécessaire de se tourner vers Caesar pour savoir que son regard protecteur l'accompagnait.

Lorsqu'elle fut devant son père, et qu'elle vit son visage amaigri, les plis amers autour de sa bouche, elle songea qu'il était bien triste de se retrouver aussi seul qu'il l'était, obligé de quémander un peu de chaleur auprès d'une fille dont il n'avait jamais voulu.

— Bonjour, papa, dit-elle d'une voix mal assurée.

— J'imagine que tu n'es pas franchement enchantée de me voir…

— Ne dis pas cela. Il est normal que tu sois accueilli parmi nous. Ne sommes-nous pas ta famille ? D'ailleurs, en voici le plus jeune membre.

Un instant, elle crut que son père allait faire demi-tour. Puis elle vit briller des larmes dans ses yeux.

— Tout va bien, papa, dit-elle d'une voix douce. Cela va aller…

Caesar les avait rejoints, et il lui prit Francesca des bras.

— Regardez, dit-il fièrement à son beau-père, elle a hérité de la blondeur et de la finesse de Lou. Dieu merci !

Louise entendit son père se racler la gorge, avant de déclarer :

— Lou tenait cela de ma famille. Et je peux vous dire que c'était le plus ravissant bébé que l'on n'ait jamais vu.

Voilà qu'il réécrivait l'histoire, songea Louise avec mélancolie. Il ne lui avait pas fallu longtemps !

Cependant, elle n'eut pas le courage de le contredire. Qu'est-ce que cela lui aurait apporté ? Aujourd'hui, tout son amour allait à un homme qui la chérissait, et l'estimait à sa juste valeur.

Un homme qui lui accorderait toujours la première place dans son cœur.

Un homme qui l'aimait de toute son âme.

collection *Azur*

Ne manquez pas, dès le 1er octobre

LA MARIÉE D'UNE SEULE NUIT, *Carol Marinelli* • *N°3396*

Alors qu'elle s'avance vers l'autel où l'attend Niklas dos Santos, Meg sent un bonheur intense et un envoutant parfum de liberté l'envahir. Oui, c'est bien elle, la si sage Meg, qui s'apprête à épouser ce bel inconnu ! Certes, ils n'ont partagé qu'une journée, faite de passion brûlante et de confidences murmurées... Mais ces instants ont été si merveilleux qu'elle est sûre qu'un lien puissant et indestructible l'unit à Niklas. Hélas, au petit matin, celui-ci la rejette violemment. Et Meg doit, dès lors, se rendre à l'évidence : l'homme dont elle vient de tomber éperdument amoureuse ne compte rien lui offrir d'autre que ce mariage d'une seule nuit...

UN SI SÉDUISANT PLAY-BOY, Susan Stephens • *N°3397*

Nacho Accosta ? Grace n'en revient pas. Par quel cruel coup du destin se retrouve-t-elle dans cette hacienda éloignée de toute civilisation, en compagnie du seul homme dont la présence suffit à la bouleverser ? Sa voix chaude, son charme ravageur, tout chez Nacho la fait vibrer. Comme autrefois. Seulement voilà, si elle a autrefois connu la passion entre ses bras, elle sait qu'aujourd'hui plus rien n'es possible entre eux. Comment pourrait-elle encore, trois ans après leur dernière rencontre, éveiller l'intérêt – et le désir – de ce play-boy farouchement indépendant qui collectionne les conquêtes ?

L'ÉPOUSE D'UN SÉDUCTEUR, *Jane Porter* • *N°3398*

Depuis qu'elle a quitté le domicile conjugal, cinq ans plus tôt, Morgane a soigneusement évité de croiser la route de Drakon Xanthis, l'époux qu'elle a tant aimé, malgré la blessure qu'il lui a infligée par son indifférence et sa froideur constantes. Mais, aujourd'hui, elle n'a pas le choix : elle affrontera Drakon - puisque lui seul a le pouvoir de sauver son père - et tournera enfin la page de leur histoire. Hélas, quand elle le voit apparaître en haut de l'escalier de cette maison qu'ils ont un jour partagée, Morgane comprend que ces retrouvailles, loin de lui apporter la paix, sont une nouvelle épreuve pour son cœur. Car les émotions que Drakon éveille en elle sont toujours aussi puissantes, et aussi dangereuses...

UNE ORAGEUSE ATTIRANCE, *Natalie Anderson* • *N°3399*

Lorsque son patron lui demande de *tout* faire pour faciliter le travail de Carter Dodds au sein de l'entreprise, Penny est horrifiée. Non seulement Carter ne voit en elle qu'une femme vénale et ambitieuse, mais il ne cherche même pas à dissimuler son intention de la mettre dans son lit. Une intention dont Penny se serait volontiers moquée si, elle ne ressentait pas elle-même la force irrésistible du désir. Un désir qui la pousse inexorablement vers Carter...

POUR L'HONNEUR DES VOLAKIS, *Lynne Graham* • *N°3400*

Lorsqu'elle accepte d'accompagner sa demi-sœur à la campagne, le temps d'un week-end, Tally n'imagine pas que ces quelques jours vont bouleverser sa vie à jamais. Et pourtant… A peine l'irrésistible milliardaire Sander Volakis pose-t-il les yeux sur elle que déjà, elle se sent gagnée par une intuition folle : il s'agit de l'homme de sa vie. Une intuition qui se confirme à la seconde même où il lui donne un baiser ardent, passionné...

Volume Exceptionnel 2 romans inédits

Hélas, le conte de fées tourne vite au cauchemar. Car, quelques semaines plus tard, lorsque Tally découvre qu'elle est enceinte, Sander entre dans une colère noire, avant d'exiger, quelques jours plus tard, qu'elle l'épouse. Bouleversée, Tally comprend alors qu'elle va devoir, pour le bien de son enfant à naître, se lier à un homme qui ne partage en rien ses sentiments. Un homme qui semble, en outre, lui cacher un terrible secret...

UN BOULEVERSANT DÉSIR, *Lucy King* • *N°3401*

Si quelqu'un lui avait un jour prédit qu'elle vivrait l'expérience la plus bouleversante – et la plus érotique – de sa vie à l'arrière d'une voiture, dans les bras d'un séducteur, Bella aurait éclaté de rire. N'a-t-elle pas toujours été raisonnable ? Et ne sait-elle pas exactement ce qu'elle attend d'un homme : de l'engagement, de la stabilité ? Tout ce que Will Cameron, aussi beau et troublant soit-il, ne pourra jamais lui offrir ! Mais alors que Bella a pris la ferme résolution d'éviter désormais tout contact avec Will, ce dernier lui propose un contrat qu'elle ne peut refuser. Un contrat qui l'obligera à travailler à ses côtés pendant un long mois...

UN PRINCE À SÉDUIRE, *Maisey Yates* • *N°3402*

Depuis l'échec de son mariage, Jessica s'est fait une spécialité de déceler les infimes détails du quotidien qui font les couples solides et unis. Elle en a même fait un art : son agence matrimoniale est réputée dans le monde entier. Aussi, quand le prince Stavros fait appel à ses services, se fait-elle un devoir d'ignorer l'attirance qu'il lui inspire et de se mettre à la recherche de l'épouse idéale. Celle qui saura régner à ses côtés, lui donner des héritiers et ne rien exiger de lui – surtout pas de l'amour. Mais lorsqu'après une troublante soirée, Jessica se réveille dans les bras de Stravros, elle n'a plus qu'une peur : celle de trouver la femme qui l'éloignera à jamais de cet homme qui lui a fait perdre la raison...

L'ORGUEIL DE JACOB WILDE, *Sandra Marton* • *N°3403*

- Indomptables séducteurs - 1ère partie

« Vous n'êtes qu'un mufle égocentrique et arrogant, Jacob Wilde ! » A ces mots, Jacob reste un moment interdit. Le moins qu'on puisse dire, c'est qu'Addison McDowell, ne semble pas impressionnée par lui. Et s'il ne se souvient même plus de la dernière fois où quelqu'un a osé le défier de la sorte, il doit avouer que le tempérament de feu d'Addison a un pouvoir étrange sur lui, celui d'éveiller son intérêt – et son désir. Serait-il temps pour lui de sortir de l'isolement dans lequel il s'est muré ? En tout cas, reprendre goût à la vie entre les bras d'une femme comme Addison lui apparaît soudain comme le plus excitant des projets. Et comme le plus savoureux des défis…

PASSION POUR UNE HÉRITIÈRE, *Lynne Raye Harris* • *N°3404*

- La couronne de Santina - 7ème partie

Enceinte ? A cette nouvelle, Anna sent son estomac se nouer. Certes, elle a toujours souhaité devenir mère, mais lorsqu'elle a cédé au désir que lui inspirait le séduisant Léo Jackson, jamais elle n'a imaginé qu'elle se retrouverait liée à ce séducteur impénitent par le plus puissant des liens. Bouleversée, mais résolue à protéger l'enfant qui grandit en elle, elle n'a pas d'autre choix que de proposer à Léo un arrangement insensé : un mariage de façade. Mais lorsqu'elle comprend que Léo entend faire d'elle sa femme dans tous les sens du terme, elle sent ses résolutions vaciller. Saura-t-elle protéger son cœur de cet homme qu'elle n'a pu oublier ? Qu'adviendra-t-il lorsqu'il se lassera d'elle ?

Attention, numérotation des livres différente
pour le Canada : numéros 1833 à 1841.

Composé et édité par les

éditions HARLEQUIN

Achevé d'imprimer en août 2013

La Flèche
Dépôt légal : septembre 2013
N° d'imprimeur : 72727

Imprimé en France